卷首语

创造非遗：文化政治中的表演性实践

王杰文

非物质文化遗产这个术语，明显是相对于物质文化遗产的概念被提出来的；而所谓物质文化遗产，指的是联合国教育、科学及文化组织在《保护世界文化和自然遗产公约》中所提出的“文化和自然遗产”。尽管其强调文化和自然遗产“具有突出的普遍价值”，但它们大多数都是分布在欧洲的文物、建筑群和遗址。正是出于对这种欧洲中心主义的物质文化遗产观念与实践的抵制，非遗的概念才得以被提出；它主要是由非西方国家积极参与，试图通过确立新的遗产观念与话语机制，从而抵制欧洲中心主义的文化政治霸权。非遗的概念，涉及世界范围内不同国家和社会文化群体之间的不平等关系，有关非遗之本质与价值的话语建构，关系到民族国家之间、社会群体之间的政治、文化以及地缘层面的权力斗争。

2003 年，在《保护世界文化和自然遗产公约》正式推出之前，来自不同国家和学科领域的专家围绕非遗的概念进行了深入讨论，关于何为非遗、非遗到底是固定不变的还是不断变化的、非遗是面向过去的还是面向现代的，他们的看法并不相同。这种观念上的争论，并不只是涉及对特定非遗进行识别分类的技术问题，还涉及保护与传承的实践问题。

非常明显，所有这些困扰性的问题，都与遗产这一概念有关。在欧洲文化传统上，遗产总是物质的、可纪念的、宏大的、美的且具有普遍价值的，这种遗产观念不仅界定了什么是遗产，还连带着如何保护它的观念。非遗正好是要挑战与抵制这种主流的遗产观念。在这个意义上，界定非遗并评选各级非遗名录，就是一种表演性的话语实践，它通过创造某种关于非遗的话语体系，从而依据其制订的标准进行认定与评估，最终在非遗的话语体系中，为旧有的文化表达赋予新的名义与价值。

因此，围绕着非遗保护工作而开展的识别、认定、评估与管理工作，就是一种文化合法化的操作。而把某些文化表达认定为非遗，关键在于由谁来认定，通过何种框架与标准来认定，这决定了它的合法性程度，以及最终是否能够对欧洲传统的遗产观念构成实实在在的挑战。

从话语实践的角度来看，任何一种遗产之所以是遗产，是因为它在一套文化与社会价值的评判与认定标准中可以被识别，而这套文化与社会价值标准本身是非物质的。正像艺术机制理论所说的那样，某些艺术作品之所以是艺术品，是因为某些权威专家或者机构认定它是艺术品；同理，正是因为某些教科文组织及其缔约国声称某种文化表达是非遗，它就成为非遗，而这些文化表达本身，并没有什么内在的价值可以使其成为非遗。

可以说，遗产就是一套的文化实践。它既可能是一些文物、建筑群与遗址，也可能是一些文化表演行为与事件，但是，真正使它们获得遗产身份的，是一整套文化与社会价值的评判与认定标准，以及通过这套标准而展开的文化政治机制，它是一个充满了记忆与遗忘、挑选与重构、传承与创新的协商过程。在这个意义上，所谓的非遗本来并不存在，它是被创造出来的，是“非遗化”话语的产物，是非西方国家、非精英阶层争取自我身份认同的策略性实践。

作者简介：王杰文，中国传媒大学艺术研究院教授，博士生导师。

非遗传承研究

RESEARCH ON INTANGIBLE CULTURAL HERITAGE

2024 4

CONTENTS 目录

总第36辑

主　　办　上海师范大学
　　　　　中西书局
承　　办　上海师范大学中国非物质
　　　　　文化遗产传承研究中心

目录 2024 4
CONTENTS

地　　址　上海师范大学体化楼101室
邮　　编　200234
电　　话　021-64321638
邮　　箱　fyjk2016@163.com
出版日期　2024年12月25日

贯彻以人为本理念，关注非遗传承发展

——《文化保护传承利用工程实施方案（修订稿）》解读

金茹雪

摘　要：2024年3月22日，国家发展和改革委员会、中央宣传部等七部门联合印发《国家发展改革委等部门关于修订印发〈文化保护传承利用工程实施方案〉的通知》。该修订稿是对2021年《文化保护传承利用工程实施方案》的进一步深化，其聚焦于国家级文化遗产和自然遗产保护传承工作，贯彻以人为本、活态传承、合理利用的非遗保护发展理念，以营造文化空间的实践路径及多主体、多方面的保障措施，对当前非遗保护进行探索和发展。

关键词：非物质文化遗产；以人为本；传承与保护

2024年3月22日，国家发展改革委、中央宣传部、住房城乡建设部、文化和旅游部、广电总局、国家林草局、国家文物局联合发布了《文化保护传承利用工程实施方案（修订稿）》（下文简称《方案（修订稿）》）。《方案（修订稿）》聚焦文化和自然遗产保护与传承工作，其中关于非遗的保护规定与举措，体现出我国独具特色的非遗保护理念与实践路径。

从《方案（修订稿）》的指导思想来看，其立足于“以人民为中心”的发展思想，贯彻“以人为本”的非遗保护理念；将“促进优秀传统文化和宝贵自然遗产整体保护和活态传承”作为《方案（修订稿）》的总体目标，注重保持非物质文化遗产的生命力，则是对“活态传承”非遗保护理念的阐释；在文件的“基本原则”部分，强调了恰当处理文化遗产保护传承中“保护与利用”“保护与发展”及“保护与开发”三组关系，是对“合理利用”的非遗保护理念的运用。《方案（修订稿）》的“建设任务”部分，提出营造非遗传承保护文化空间，并在文件中明确规定了非遗保护资金安排标准，并由政府鼓励社会资本参与相关基础设施建设和投资，这些实践路径为非遗保护和传承提供了多方面的坚实保障。

一、《方案（修订稿）》中的非遗保护传承理念

《方案（修订稿）》是在习近平新时代中国特色社会主义思想指导下，为促进文化和自然遗产保护、推动文化旅游融合发展、满足人民群众对美好生活需求所制定的政策方案，其中体现出以人为本、活态传承和合理利用的非遗保护理念。

其一，以人为本。《方案（修订稿）》指出，本实施方案的制定是为了“贯彻落实习近平文化思想，提升文化和自然遗产保护水平，推动文化旅游融合和高质量发展，更好满足人民群众对美好生活的需要”[1]。此处提到的“满足人民群众对美好生活的需要”，体现出非遗保护工作中“以人为本”的理念。

《方案（修订稿）》显示，文化保护传承利用工程的目标最终指向“推动高质量发展和创造高品质生活相得益彰”，将文化和自然遗产保护与传承工作与为民众创造高品质生活相联系，体现出非遗保护工作中以人民为主

作者简介：金茹雪，复旦大学中国语言文学系博士生。

体的理念，亦符合民俗学对民众日常生活的观照。

其二，活态传承。对于非遗的传承保护而言，保持非遗自身的生命力是至关重要的。联合国教育、科学及文化组织在《保护非物质文化遗产公约》中将非遗“保护”的内涵界定为“确保非物质文化遗产生命力的各种措施，包括这种遗产各个方面的确认、立档、研究、保存、保护、宣传、弘扬、传承（特别是通过正规和非正规教育）和振兴”[2]。

对非物质文化进行活态传承的关键，首先在于让非遗的活力、生命力得到延续，其次是使非遗融入人们的日常生活，汲取源源不断的能量。

《方案（修订稿）》提到，要“促进优秀传统文化和宝贵自然遗产整体保护和活态传承”，同时也要“突出创新性发展，促进产品创新、服务创新、技术创新、机制创新，探索多元活化利用途径”。

这其实就涵盖了非遗活态传承的两层意蕴：对非遗本体的保护和利用并使其较为良好地融入民众的日常生活。“非物质文化遗产的活态保护是让非物质文化遗产回归到生活中，在民众现实的生态场景中进行保护的一种方式”，[3]也就是说，对非遗的活态保护和传承是在民众的生活场中发生的，《方案（修订稿）》中提出的从产品、服务、技术、机制等多层面进行创新，是对推进中华优秀传统文化创造性转化、创新性发展的贯彻，也是对非遗活态传承理念的实践。

其三，合理利用。除以人为本、活态传承外，贯穿《方案（修订稿）》的另一重要非遗保护理念是合理利用。

2006年12月1日起施行的《国家级非物质文化遗产保护与管理暂行办法》第三条指出，“国家级非物质文化遗产的保护，实行‘保护为主、抢救第一、合理利用、传承发展’的方针，坚持真实性和整体性的保护原则”[4]。

对非遗的合理利用，是指在保护的同时，对非遗的社会效益和经济价值进行进一步的挖掘。对非遗的合理利用不仅能够带来经济效益，还会反过来促进非遗自身的更新，为非遗发展注入活力。

《方案（修订稿）》中提到，“突出专业化保护，正确处理保护与利用、保护与发展、保护与开发等文化遗产保护传承中的重大关系”，同时也要注意开发的限度，“避免过度开发”。

《方案（修订稿）》强调文化与自然遗产保护工作中的专业性，对“保护与利用”“保护与发展”“保护与开发”这三组关系的把控和处理是对“合理利用”这一非遗保护理念的具体阐释与运用。

二、《方案（修订稿）》中非遗保护的实践路径

贯彻“以人为本”“活态传承”“合理利用”的保护理念，《方案（修订稿）》中对非遗保护的具体实践举措包括为非遗传承保护营造文化空间、提供足量资金支持，由政府部门协调社会资本，多个主体共同完成。

对非遗传承文化空间的营造。文化空间，亦称文化场所（Cultural Place），它是非遗保护中的一个重要概念。1998年，联合国教育、科学及文化组织在《宣布人类口头和非物质遗产代表作条例》中，将口头和非物质遗产划分为民间和传统表现形式与文化场所两类。

民间和传统表现形式指语言、文学、音乐、舞蹈、游戏、神话、礼仪、习惯、手工艺、建筑术及其他艺术、传播与信息的传统形式，而文化场所的人类学概念则指“一个集中了民间和传统文化活动的地点，但也被确定为一般以某一周期（周期、季节、日程表等）或是一事件为特点的一段时间。这段时间和这一地点的存在取决于按传统方式进行的文化活动本身的存在”[5]。

向云驹指出，文化空间是指一个在特定的物理空间或自然空间基础上、由人的活动而形成的“文化场”[6]。

《方案（修订稿）》中将“综合性国家级非物质文化遗产传承展示”列入“建设任务”中，指出“支持综合性国家级非物质文化遗产传承展示设施建设”，其中包括“传统表演艺术类的展演剧场、排练厅，传统手工技艺类的生产传习用房、技艺展示厅，传统民俗

活动类的展演活动场地、小型室内展示空间，以及必要的配套停车场、库房、辅助用房和环境整治等”。针对不同非遗类型设置的各类展演场所，实际上是政府支持下建造起的非遗传承“文化场”，也即我们所讨论的文化空间。通过对非遗传承文化空间的营造，既能够为民众了解多样的非遗提供平台，也有助于非遗融入人们的日常生活，促进其活态传承与发展。

为更好促进非遗保护传承，政府方面也提供了足量的资金支持。《方案（修订稿）》明确规定，综合国家级非遗传承展示项目最高可申请到中央预算内投资支持金额 1 亿元。

工作统筹协调方面，文化保护传承利用工程由政府部门协调社会资本，共同参与到非遗保护中来。《方案（修订稿）》中提到，“鼓励社会资本参与相关基础设施建设项目投资，探索创新多元投入机制”。同时，政府内部在统筹协调工作时也注意职责划分，中央政府与地方政府各司其职：“明确财权事权”，“严格按照中央与地方财政事权划分标准，加大中央事权事项支持力度，在中央与地方共同事权事项中突出强调地方主体责任”。

三、结语

2022 年 8 月 16 日，中共中央办公厅、国务院办公厅印发的《“十四五”文化发展规划》指出：“坚持人民至上。以人民为中心，尊重人民主体地位，保障人民文化权益，把宣传、教育、引导和服务群众结合起来，鼓励人民参与文化创新创造、依法参与国家文化治理，做到文化发展为了人民、依靠人民、成果由人民共享，促进满足人民文化需求和增强人民精神力量相统一。”[7]

《方案（修订稿）》贯彻“十四五”文化发展规划精神，在非遗保护工作中以人为本，旨在为人民提供更高品质的文化生活。在非遗传承工作当中，注重在生活语境中对非遗进行活态的传承，为非遗注入更多的活力。

《方案（修订稿）》中提到的对多元活化利用途径的探索，是对“两创”精神的具体落实，而把握非遗开发的尺度，则是“合理利用”的非遗保护观念的具体呈现。实践路径上，注重为非遗传承保护营造相应的文化空间，为国家级非遗保护提供专项资金支持，由政府与社会资本共同参与到非遗保护工作当中来，多主体合力推动非遗保护和发展。《方案（修订稿）》是对《文化保护传承利用工程实施方案》的进一步深化拓展，是落实非遗保护与传承工作的重要文件。

参考文献

［1］国家发展改革委，中央宣传部，住房城乡建设部，文化和旅游部，广电总局，国家林草局，国家文物局．国家发展改革委等部门关于修订印发《文化保护传承利用工程实施方案》的通知［EB/OL］. 中华人民共和国中央人民政府网 .https://www.gov.cn/zhengce/zhengceku/202404/content_6943800.htm.

［2］联合国教育、科学及文化组织．保护非物质文化遗产公约［EB/OL］. 中国非物质文化遗产网 .https://www.ihchina.cn/zhengce_details/11668.

［3］尹笑非．论非物质文化遗产的活态保护空间建构——以民间工艺美术类别为例［J］. 西北民族研究，2014（2）：77，94—97.

［4］文化和旅游部．国家级非物质文化遗产保护与管理暂行办法［EB/OL］. 中华人民共和国中央人民政府网 .https://www.gov.cn/zhengce/2006-12/01/content_5712549.htm.

［5］联合国教育、科学及文化组织．宣布人类口头和非物质遗产代表作条例［EB/OL］. 中国非物质文化遗产网 .https：//www.ihchina.cn/zhengce_details/15719.

［6］向云驹．再论“文化空间”——关于非物质文化遗产若干哲学问题之二［J］. 民间文化论坛，2009（5）：5—12.

［7］中共中央办公厅，国务院办公厅．“十四五”文化发展规划［EB/OL］. 中华人民共和国中央人民政府网 .https://www.gov.cn/gongbao/content/2022/content_5707278.htm.

上海市市级传统美术类非遗项目传承状况调研报告

黄江平

摘　要：上海市市级传统美术类非遗项目积极创新传承模式，探索传承方式，在传承基地建设、传承场馆建设等方面取得了一定的成就。在家族传承、师徒传承等传统传承方式的基础上，积极开展社区传承和学校传承。但是，目前还存在着家族传承面临断层、师徒传承难以为继、社会传承效果不理想等问题。建议优化师徒传承模式、提高学校培养效果、健全非遗传承机制、完善传承人梯队建设，进一步推动上海市市级传统美术类非遗项目的传承和发展。

关键词：市级非遗项目；传统美术类；传承状况

为进一步推动传统美术高质量传承发展，按照既定工作部署，上海市文化和旅游局在2023年对上海市市级传统美术类非遗项目存续状况进行立项调研。此次调研工作从生存环境、保护工作、传承状况、活动开展、核心内涵、市场开拓等六个方面对上海市市级传统美术类非遗项目进行了全面深入的调研。笔者有幸参与了此次调研，收获颇丰。上海市市级传统美术类非遗项目积极创新传承模式，探索传承方式，但是还存在着家族传承面临断层、师徒传承难以为继、社会传承效果不理想等问题，我们将通过调研分析，提出相应的建议，以期进一步推动上海市市级传统美术类非遗项目传承和发展。

一、传承工作特色

为了促进上海市市级传统美术类非遗项目的保护和传承，相关非遗保护单位和传承人做了大量工作，形成了一定的工作特色。

（一）创新传承模式

自非遗保护工作开展以来，我国各地在非遗传承模式方面积极创新，积累了丰富经验，上海市市级传统美术类非遗项目在传承模式的探索方面也不例外，积极探索了传承基地建设、传习中心建设和传承场馆建设。

1. 传承基地建设

上海市市级传统美术类非遗项目保护单位非常重视非遗传承基地建设，这些传承基地有的建在街镇社区，有的建在机关学校，有的与社会机构合作共建。例如，崇明灶文化研究会在享有“灶花之乡”美誉的向化镇设立了灶花传承基地，长期开展灶花的传承活动。吹塑纸版画市级代表性传承人龚赣弟在宝山区杨行镇建立了吹塑纸版画创作基地。海派盆景技艺市级代表性传承人庞燮庭在浦东新区三林世博家园社区文化中心成立了传承基地。石雕市级代表性传承人陶昌鹏在闵行区华漕镇纪王学校成立了“陶乐坊”陶艺教育实践基地和大师工作室。上海市美术家协会月份牌年画与上海长宁文化艺术中心、上海长宁新虹桥文化艺术交流中心合作共建传承基地。有的项目更是建有独立的传承基地。例如，1989年金山区政府就建造了金山农民画院作为金山农民画的研究培训基地。非遗保护工作开展之后，金山农民画院成立了金山区学校农民画教育中心及基地学校。

2. 传习中心建设

与非遗传承基地的功能相比，非遗传习中心更注重于研究和创新。为了进一步做好非遗传承工作，非遗保护单位及其代表性传承人纷纷成立集保护、传承、研究和交流于一体的非遗传习中心和非遗协会等组织。例如，琉璃烧制技艺保护单位之一的上海大伦实业有限公司，在2019年与有关方面共同成立了“琉璃艺术创新设计中心”，注重教育培训、体验互动和国际交流，打

作者简介：黄江平，上海社会科学院民俗与非遗研究中心副主任、研究员。

造上海品牌。紫檀雕刻市级代表性传承人喻立新于2019年初在嘉定区州桥老街上成立了“上海市嘉定立新紫檀雕刻技艺传习中心”，开展紫檀雕刻技艺的传承、传播、展览和体验活动。根雕市级代表性传承人胡月亭于2020年成立了“上海仁甫文化艺术发展中心”，作为弘扬根雕文化的基地。与此同时，非遗保护单位及其代表性传承人还充分发挥保护单位的协调作用和传承人的带头作用，尝试成立非遗协会。例如，海派盆景技艺保护单位浦东新区三林镇文化服务中心成立了三林盆景协会，吹塑纸版画保护单位宝山区杨行镇成立了吹塑纸版画协会，等等。

3. 传承场馆建设

博物馆、展示馆、陈列馆等场馆是非遗传承的重要设施和场所。非遗保护工作开展以来，非遗场馆数量快速增长。其中，有的是综合性的非遗博物馆，这方面以省市县级非遗场馆为主，如浙江省非物质文化遗产馆、贵州省非物质文化遗产博览馆等。而更多的是专业博物馆、专题博物馆，这方面以非遗项目为主，如江苏南通的南通蓝印花布博物馆（南通蓝印花布印染技艺为国家级非遗项目），浙江杭州的张小泉博物馆（张小泉剪刀锻制技艺为国家级非遗项目）、天竺筷工艺博物馆（天竺筷传统技艺为浙江省非遗项目）等。

上海市市级传统美术类非遗项目保护单位及其传承人对非遗场馆的建设也非常重视。通过不懈努力，各种非遗博物馆、展示馆、陈列馆等纷纷成立。其中，有的成立于非遗项目批准之前，如四海壶具博物馆（非遗项目：海派紫砂艺术）、上海穆益林帛画艺术馆（非遗项目：帛画）、乾宸根雕刻艺展览馆（非遗项目：根雕）、上海琉璃艺术博物馆（非遗项目：琉璃烧制技艺）等。但更多的是近年来在非遗保护工作推动下成立的场馆。例如：闵行区颛桥镇文体中心建有颛桥剪纸大观园；徐汇区湖南路街道建有海派连环画传承馆；上海海派连环画中心也设有海派连环画专门展区；浦东新区浦兴路街道社区文化活动中心设有三民文化展厅，集中展示微型明清家具作品；在杨浦区新江湾城社区文化活动中心内，设有面塑和风筝联合展厅；在宝山区杨行镇社区文化活动中心内设立了吹塑纸版画常设展厅；在上海印刷高等专科学校设有象牙篾丝编织市级代表性传承人陈海龙作品展示厅；在上海玉佛寺有陈家泠佛教艺术馆，常年展示海派瓷艺和瓷艺衍生品。

（二）探索传承方式

非遗的传承方式主要有家族传承、师徒传承和社会传承。传统美术类非遗在长期传承过程中，主要以家族传承和师徒传承为主。但是，在家族传承逐渐式微、师徒传承难以为继的情况下，社会传承就成为传统美术类非遗项目后继有人的必然选择。

1. 家族传承和师徒传承

家族传承和师徒传承都是传统传承方式，在上海市市级传统美术类非遗项目传承中，不少传承人仍在坚守。

在家族传承方面，部分项目成效显著。其中，上海剪纸项目就比较突出。例如，市级代表性传承人李守白的女儿李诗忆从小跟着父亲学习剪纸，如今已成长为黄浦区海派剪纸艺术非遗项目代表性传承人，李守白与李诗忆形成稳固的家族传承；市级代表性传承人华兴富成功地将撕纸艺术传给儿子华超，华超已被列为长宁区撕纸非遗项目代表性传承人；市级代表性传承人周若妹在剪纸传承中培养了数以千计的剪纸能人，她的女儿张红就是其中的佼佼者，被列为闵行区非遗代表性传承人。又如，石雕市级代表性传承人陆炯，为当代海派砚雕的代表性人物之一，他的石雕技艺来自其父陆小华，父子相承；源于家族传承的海派盆景技艺，传承人庞燮庭又将其技艺传给其子庞盛栋，庞盛栋现为浦东新区非遗代表性传承人；瓷刻市级代表性传承人张宗贤，悉心培养女儿，他的女儿张澄英现为浦东新区非遗代表性传承人。还有些代表性传承人的子女已学有所成，但因申报制度等原因，暂未被认定为代表性传承人，如海派紫砂艺术市级代表性传承人许四海之子许泽锋、海派瓷艺市级代表性传承人陈家泠之子陈亮等，这些项目都形成了比较有序的家族传承。

在师徒传承方面，海派紫砂艺术市级传承人许四海贡献尤为突出。许四海在数十年的紫砂生涯中，在上海和宜兴两地先后培养了将近200名徒弟，如今，他们中的绝大多数都是紫砂工艺师，不少人已经成为紫砂界的领军人物。琉璃烧制技艺的传承方式以师徒传承为主，市级代表性传承人杨惠姗手把手带徒传艺，目前已培养出5名技艺成熟的传承人。海派插花市级代表性传承人蔡仲娟通过师徒传授，带徒27人。月份牌年画传承人采用带徒模式，目前已传至第五代。印章艺术雕刻虽然面临着收徒难的问题，但他们仍艰难筹措招收学徒、培养学徒的费用，目前有两位上海本地徒弟跟在市级代表性传承人蒋跃年身边学习。

2. 社区传承和学校传承

社区传承和学校传承是新型的社会传承方式，目前上海市市级传统美术类非遗项目的保护单位和传承人对此做出了积极的探索，其传承活动可以用如火如荼来形容。

在社区传承方面，有的在社区开设非遗培训班，有的在社区开设非遗课程，有的在社区开设传承人工作室等。其中，利用社区现有资源开设非遗培训班、兴趣班是非遗项目保护单位和代表性传承人所普遍采用的传承方式，且效果比较好。例如，闵行区颛桥镇文化中心从2001年起连续举办剪纸培训班，市级代表性传承人周若妹、杜伟秋和区级代表性传承人李春铃都是这批培训班学员。周若妹所在的颛溪五村剪纸班，从2005年开班至今已经坚持了18年。宝山区杨行镇社区文化活动中心非常重视吹塑纸版画培训班的学员培训。除了培训班外，在社区学校开设非遗课程也比较普遍，尤其是在以政府为保护单位（如街镇文化活动中心）的非遗项目中更为突出。例如，2012年，浦东新区浦兴路街道社区文化活动中心将微型明清家具制作技艺引入社区学校，开设“非遗综合工艺传承”课程，每年两个学期。长宁区新泾镇社区文化事务中心在新泾镇社区学校、长宁区老年大学西部分校分别开设西郊农民画学习课程。普陀区宜川路街道社区学校开设瓷刻课程，市级代表性传承人程佩初每年为这些学员讲授瓷刻近150课时。此外，街镇社区文化中心还纷纷成立了非遗传承人工作室，为传承人从事非遗传承工作提供了极大的便利。例如，上海剪纸各街镇保护单位都已经成立了剪纸传承人工作室：虹口区凉城街道社区文化中心有市级代表性传承人史萍剪纸工作室、闵行区颛桥镇文化体育事业发展中心有周若妹剪纸工作室、长宁区新泾镇社区文化事务中心有华兴富撕纸工作室。其他如：杨浦区殷行街道社区文化活动中心设立了建筑微雕市级代表性传承人阚三喜工作室，闵行区华漕镇开设了石雕传承人陶昌鹏工作室，新泾镇社区文化事务中心设有西郊农民画工作室。市属非遗保护单位以及市级代表性传承人开设的非遗传承人工作室也不在少数。例如，长江企业发展合作公司成立了集云阁篆刻大师工作室，百佛园内有海派紫砂艺术传承人许四海工作室，等等。

在学校传承方面，上海市市级传统美术类非遗项目传承工作也有了很好的进展。目前，通过教育促进非遗传承已经成为国际社会的共识。2003年联合国教育、科学及文化组织通过的《非物质文化遗产公约》指出：“非物质文化遗产的传承可以通过正规和非正规的教育来实现。”2011年颁布的《中华人民共和国非物质文化遗产法》规定，学校应当“开展相关的非物质文化遗产教育”。近年来，上海市市级传统美术类非遗项目和传承人正在突破早期活动式的“进学校”方式，采取了主动与高等职业院校深度融合的方法进行学校传承。他们有的在高校设立了传承基地，有的在高校成立了工作室，有的在高校开设了课程，并开展学分制教学，在非遗融入学校教育方面取得了一定的成绩。例如，象牙簸丝编织传承人陈海龙与上海出版印刷高等专科学校合作，建立了项目传承基地，成立了陈海龙大师工作室，设立了作品展览厅，认真探索学分制教学和实践型教学相结合的教学模式。奉城木雕市级代表性传承人徐华兵在上海电子信息职业技术学院担任外聘教师，开设木雕选修课，探索学分制与社团课相结合的教学模式。月份牌年画与新桥职业技术学院合作，在学校内设立月份牌年画定点教学基地，将月份牌年画技艺学习纳入高校选修课的课程体系之中。瓷刻传承人张宗贤在上海第二工业大学开设瓷刻选修课，进行学分制教学。金山农民画院联合上海中侨职业技术大学共建“非遗金山农民画大师工作室”，建立融合金山农民画艺术特色的艺术设计类特色课程，摸索出“传统文化工艺 + 现代艺术设计”的高职教学新模式。

（三）培植传承力量

上海市市级传统美术类非遗项目保护单位大多比较重视传承力量的培植，在传承队伍、传承能力、传承团队等方面都有所提高。

1. 健全传承队伍

除了少数几个项目外，此次我们调研的上海市市级传统美术类非遗项目（前6批）共为31个，计51家保护单位。截至2020年年底，上海市批准了六批市级非遗代表性传承人794名，其中传统美术类非遗代表性传承人共计149名，占全部代表性传承人总数的18.77%，接近五分之一，比例较高。从目前上海市市级传统美术类非遗代表性传承人分布来看，在31个项目中，仅烙画1个项目尚无市级代表性传承人，其他30个项目中，14个项目有1名代表性传承人，16个项目有2名以上代表性传承人，这16个项目中，最多的是连环画，有11名；剪纸和月份牌年画各有9名；农民画有7名；海上书法有5名；石雕和灶花各有4名；上海宣传画和吹塑纸版画各有3名；海派玉雕、面塑、上海灯彩、上海砚刻、上海瓷刻、上海细刻和上海牙雕各有2名，共计83名。基本做到了代表性传承人全覆盖。

2. 提高传承能力

传承人在多年的传承实践中大都能积极主动地承担传承任务，不断提高传承能力。他们不仅常年担任各种教学培训任务，还善于进行创新实践。例如，微型明清家具制作技艺市级代表性传承人吴根华除了在浦东新区浦兴路街道社区学校传授微型明清家具制作技艺之外，还在社区文化中心统一安排下，抓住推进社区学习数字化的机遇，开展微型明清家具制作技艺的“微课”建设，将微型明清家具制作技艺拍成8辑系列微课，为社区居民提供多元化的学习方式，促进学习资源的开放共享。吴根华还在上海多所高校任教，十余年来先后参加学习微型明清家具制作的高校学生已有六七百人。上海剪纸市级代表性传承人钱炳荣长期在松江区的社区学校、成人学校、阳光之家、松江外国语学校开设剪纸课程，还担任了车墩成校兼职教师。瓷刻传承人张宗贤在学分制教学、研发校本课程、作品参赛以及培养传承人方面进行了探索实践，还在慕课平台发布瓷刻课程。石雕传承人陶昌鹏尝试通过线上直播及小视频方式，向广大市民和青少年介绍各类写实石壶的制作技艺。杨浦区江湾面塑市级代表性传承人戚依萍积极运用新媒介开发新课程。

传承人还积极参加各项展览展示活动，在世博会、进博会、手造博览会、艺术博览会、民俗节庆、文化遗产日、非遗展览活动等场所都能看到他们的作品或他们活跃的身影。如2018年海派紫砂艺术传承人许四海为迎接首届中国国际进口博览会，自投100万元，在虹桥国际展会举办“天工开物——非物质文化遗产精品展·海派紫砂艺术特展暨许四海藏品及文创作品展”。“颛桥剪纸”周若妹、“新泾撕纸”华兴富及其子华超先后受邀参加第四、第五届中国国际进口博览会。紫檀雕刻传承人喻立新积极参加国家、上海市有关方面举办的各类展览和公益活动，受到广泛赞誉。总之上海市市级传统美术类非遗项目市级代表性传承人的传承能力普遍较强，传承积极性和主动性也是可圈可点。

保护单位和传承人在传承传播非遗技艺的同时，不断提高理论研究水平，撰写和编辑了一系列校本教材、研究著作和作品集。例如：在金山农民画方面，先后出版了“传承创新金山民间艺术的艺术设计类课程改革研究与实践”系列教材以及《金山农民画儿童绘本作品集》《大学生金山农民画作品集》等专著。上海剪纸市级代表性传承人普遍重视作品的编辑和整理，如华兴富的《撕纸艺术与技法》《撕纸艺术》，王建中的《王氏海派剪纸艺术》，李守白的《石库门》、《学做中国剪纸》(英文版）等。上海剪纸各保护单位也积极帮助传承人出版剪纸书籍，如《王子淦剪纸艺术》《林曦明剪纸选集》《王建中海派剪纸艺术》《赵子平剪纸技艺》《海上工艺美术大师名家系列·奚小琴》《李守白剪纸》《周若妹剪纸作品集》《钱炳荣民俗剪纸》《王雨扣剪纸艺术作品集》《吴志辉剪纸作品集》《上海剪纸》《松江剪纸》《颛桥剪纸》等。微型明清家具制作技艺传承人吴根华编写的《微型明清家具鉴赏与制作》校本教材，被评为2018年上海老年教育优秀教材。瓷刻传承人程佩初编写的《瓷刻艺术》教学大纲、开设的瓷刻艺术课程，被评为“上海市社区教育特色课程二等奖”和“全国社区教育特色课程”。长宁区新泾镇编写的《西郊农民画》区本教材先后荣获全国成人教育教材二、三等奖，上海市社区教育实验项目一、二等奖。

3. 打造传承团队

上海市市级传统美术类非遗项目传承团队数量众多，有些项目的传承团队可以用遍地开花来形容。例如上海剪纸就是这样一个团队数量众多、普及面极广的项目。目前在闵行区颛桥镇五大片区都有剪纸团队，颛桥剪纸已在颛桥镇的社区、学校、家庭生根开花结果。金山区政府一直非常重视金山农民画创作团队的队伍建设，现已培养1000余名农民画作者。宝山区杨行镇在吹塑纸版画传承人龚赣弟带领下，形成了长期稳定的杨行吹塑纸版画班学员团队。

在非遗传承团队建设过程中，传承人不断总结经验，探索创新。比如，面塑市级代表性传承人张书嘉和她的团队为了培养非遗传承人才，建立了“非遗种子老师”体系，目前约有100人签约了该计划，他们可以独立完成非遗面塑的教学任务。青浦区烙画项目形成了三支团队，分别为创新制作团队、传统制作团队和设计布展团队。石雕项目形成了五支团队，即工艺美院学生团队、残疾人再就业公益团队、非遗进社区活动团队、市级代表性传承人刘恩同及其弟子团队和陶昌鹏及其弟子的团队。

二、传承工作面临的困难与挑战

后继乏人是目前非遗传承中普遍存在的问题。调查发现，尽管上海市市级传统美术类非遗项目保护单位和代表性传承人做了大量传承工作，但仍然存在着后继乏人的问题。

1. 家族传承面临断层

对于传统美术类项目而言，家族传承本应是传承人首先要考虑的问题，也就是说，这本不该是一个需要花费社会成本或通过社会动员来解决的问题。但是，由于长期以来人们赖以生存和发展的社会环境的变化，使得家族传承变得越来越困难，尤其是那些门槛高、学艺难的项目更是如此。目前上海市市级传统美术类非遗项目中，除了上海剪纸、帛画、海派紫砂艺术、海派瓷艺等少数几个项目外，大多数项目都不同程度地面临着家族传承断层的危机。

有的家族传承看似在延续，但要达到其父辈的技艺水平还有很长的路要走，更何况他们中的大多数还处于“兼职非遗”状态，更难全身心地投入到技艺的传承中。其“兼职非遗”有两种情况，一是已经评上了区级代表性传承人，如瓷刻传承人张宗贤的女儿张澄英、海派盆景技艺传承人庞燮庭的儿子庞盛栋；二是其子女还未评上代表性传承人，如微型明清家具制作技艺传承人吴根华的女儿、象牙篾丝编织传承人陈海龙的女儿、建筑微雕市级代表性传承人阚三喜的儿子。虽然他们都已学到了一些技艺，但因有本职工作很难全力投入。

2. 师徒传承难以为继

现代社会给人们的生存和发展提供了无限的可能性，人们不再囿于一行一业，加之传统美术的学习需要长期积累，倘无一定的经济来源就很难坚持。师徒传承在传统社会和计划经济时代之所以不是问题，是因为在传统社会人们无法选择，手艺就是立身之本，而在计划经济时代，人们不能自主择业，年轻人从业由分配制度来决定，分到玉雕厂就学习玉雕，分到绒绣厂就学习绒绣，按部就班，各司其职，上班领工资，生活有保障。而如今，在职业选择获得充分自由的条件下，不少年轻人出于生计考虑，往往难以长期坚持学习一门技艺，从而给师徒传承带来困难。例如，上海工艺美术研究所曾尝试引进一位专业艺术院校毕业的年轻人学习砚刻技艺，并由上海工艺美术大师、市级传承人丁伟鸣亲自传授，但由于学习难度大和薪资水平较低等因素，这名学徒不得不离开去另寻其他机会了。

印章艺术雕刻传承人蒋跃年和石雕传承人陶昌鹏的带徒经历也很能说明问题。由于通过篆刻艺术谋生越来越难，过去跟着蒋跃年学艺的十几个人，因为各种原因最终都转行离开了。石雕传承人陶昌鹏共带过18位徒弟，但由于无法靠石雕技艺为生，现在仍从事石雕行业的只有3位。传承人告诉我们，如今石雕项目缺少年轻人参与，后继乏人现象较为严重。

3. 社会传承效果有限

传统社会的社会传承一般是指在社会上广泛流传的艺术，比如民歌、故事等。书法、绘画、剪纸等也有比较广泛的社会传承基础。而有些技艺，如各类雕刻，则基本依靠家族传承和师徒传承。目前，开展非遗进社区、进校园活动，启动非遗传承人研修班等学校传承模式，可以看作是社会传承的一种新方式。

我们在调查中发现，尽管近几年来金山区加大了年轻队伍培养，包括采取从教育系统挖掘年轻教师等方式，但后备力量仍感不足。目前，金山区内的年轻人能够创作或愿意从事农民画创作的越来越少，而西郊农民画目前也只有一位市级代表性传承人胡佩群，虽然长宁区新泾镇为了完善传承人队伍建设，做了很多工作，但年轻力量仍然明显不足。

还有很多项目在社区传承与学校传承等新型社会传承实践中效果不明显，很难真正带出徒弟、培养出传承人。微型明清家具制作技艺自2012年在社区学校开设传承课程起，至今已10年有余，传承人吴根华还同时在几所高校开课，但目前尚无一人能够真正传承微型明清家具制作技艺。奉城木雕进校园的情况也大体如此，虽然学生的学习积极性很高，但很难找到合适的奉城木雕传承人。还有如海上书法进校园效果也不显著，篆刻在进校园活动中花了不少钱，效果却不理想。

4. 传承人年龄日趋老化

2009年，上海市公布第一批上海市非物质文化遗产代表性传承人名单，至2020年，已公布了6批上海市非物质文化遗产代表性传承人名单。总体而言，目前上海市市级传统美术类非遗项目代表性传承人年龄日趋老化。据笔者统计，截至2023年12月30日，83名市级代表性传承人中，已有11人去世，其他72名中，年龄在90岁以上的有3名，80—89岁有12名，70—79岁有28名，60—69岁17名，50—59岁10名，40多岁的2名。可见，60岁以上的代表性传承人已经超过了83%。其中有些代表性传承人因年事已高或身体欠佳等原因已很难再承担繁重的传承任务。

三、传承工作的建议

根据上海市市级传统美术类非遗传承工作现状，特结合传承模式、传承效果、传承机制、传承人认定等提出建议。

1. 优化师徒传承模式

目前，上海市市级传统美术类非遗项目的传承方式主要以师徒传承为主，社会传承为辅，家族传承只占极少部分。1949年后，上海传统美术的传承有其特点，当时很多民间老艺人陆续进入体制内，很少再在私下带徒，其技艺主要在体制内通过师徒关系传承。比如上海工艺美术研究所的细刻、砚刻、剪纸、面塑、灯彩等就非常具有典型性。其他如：上海人民美术出版社的月份牌年画、连环画、宣传画，长江刻字厂的印章雕刻，上海玉雕厂的玉雕，奉城木器雕刻厂的奉城木雕，上海市园林绿化管理局的插花等，都是在体制内实现师徒传承。

由此可见，上海传统美术在师徒传承上有着良好的传统。在家族传承逐渐式微的情况下，这就需要传承人在师徒传承上动脑筋、下功夫，保护单位要认真做好规划，通过政策到位，健全机制，优化师徒传承模式等措施，把师徒传承作为一项长期工作来抓。

2. 提高学校传承效果

非遗进校园开展了很多年，但很多时候只是把它作为一项活动来抓，实际传承效果不显著。非遗的学校培养一定要落到实处，不能只是蜻蜓点水、浮光掠影。上海市市级传统美术类非遗项目在开展学校教育方面已经做出了很好的探索，不少项目都已经在进校园活动的基础上有所突破。传承人到高校担任兼职教授、开设相关课程的现象也比较普遍。

但为何还是成效不大呢？因为传统美术的学习需要长期积累，仅靠十几次课和几个学分是远远不够的。我们建议上海市市级传统美术类非遗项目在学校传承过程中，要与高校深度融合，建立完整的学科体系，开设相关专业，在现有学分制教育的基础上，进行专业化人才培养，有条件的甚至可以开设研究生专业。学校也要给予传承人相应的待遇，在经费、场地、人员方面提供支持。

3. 健全非遗传承机制

目前，上海非遗传承人主要有两种职业身份：一种是“专职传承人”，包括专职老年传承人和专职青年传承人。专职老年传承人普遍面临的问题是老龄化，专职青年传承人主要面临的问题是靠技艺收入低以及不稳定。另一种是“兼职传承人”，这类传承人面临的问题是双重职业身份所带来的附加压力，其问题具有普遍性。然而，不管是“专职传承人”还是“兼职传承人”，他们目前在传承工作中都存在着一定的

（下转第43页）

非遗与城市共生，传承与教育同行

——访谈上海师范大学非物质文化遗产传承研究中心主任陆建非

受访人：陆建非　采访人：王　晶

2001年，中国古老的昆曲被联合国教育·科学及文化组织列为“人类口头和非物质遗产代表作”，这是中国首个世界级非物质文化遗产。彼时，国人对“非物质文化遗产”的概念几乎一无所知。在此之后，中国进行了二十多年的发掘、整理、研究、保护等系列工作，非遗正重新焕发生机。

非遗是中国传统文化的重要组成部分，是民族精神和生活智慧的“活态”体现，是一个民族独树一帜的文化形态。如今越来越多的年轻人崇尚中国文化，越来越多有识之士加入弘扬优秀传统文化、保护和传承非遗的行列中来。上海德缘文化团队拜会上海师范大学非物质文化遗产传承研究中心主任、学术刊物《非遗传承研究》主编陆建非教授。专访围绕非遗保护和传承，以文化、学术、教育为切入点，访谈陆教授团队在非遗扎根社会、扎根社区、扎根学校等方面展开的工作与取得的成果。

一、成立中心的使命

德缘文化：陆教授，您好！上海师范大学是上海市较早开展非遗研究的高校，在2014年成立了上海师范大学非物质文化遗产传承研究中心，这是一个什么样的机构？这个机构为什么诞生在上师大，而不是别的高校？机构成立至今已经10年，在非遗保护和传承中起到了怎么样的作用，是否在朝着当初预计的方向发展？

陆建非：随着社会各界对优秀传统文化和

作者简介：陆建非，上海师范大学非物质文化遗产传承研究中心主任，《非遗传承研究》主编；王晶，上海德缘文化主笔。

非遗的研究进入新的阶段，成立非物质文化遗产传承研究中心（以下简称“中心”）是上海师范大学在联合社会力量推动优秀传统文化和非遗在国民教育体系中传承发展的重要尝试。中心聘请了一部分兼职研究员，他们来自高校、专业研究机构、民间机构等多个平台。中心的主要工作是：致力于非遗传承的研究，探寻保护、传承的理念和方法；组织、开展推动非遗持续传承的各类活动，特别是在国民教育体系中持之以恒地推广非遗传承活动，使非遗传承在国民教育体系中占有一席之地；组织专业论坛，联合其他专业机构促进教材编撰和师资培训，建立一支非遗传承的专业团队和志愿者队伍，同时发掘、引荐和合作培训培养非遗项目的传承人，改善非遗技艺后继乏人的困局；中心在2016年推出《非遗传承研究》学术集刊，不久又创立同名自媒体平台，运营至今。

中心成立至今已经10年了，取得了几项具有开创性的成果。

首先，发布非遗方面的专业调查报告。在2016年的第2个星期六，恰逢我国第11个文化和自然遗产日，中心发布《上海市中小学非遗传承与保护研究报告（2014—2015）》。我们对上海市15所学校、1500多名中小学生做了调查，范围遍及上海市10个区，涵盖传统文化传承学校、非遗传习基地（非遗校园）和从未开展过非遗活动的学校。调查报告的结果体现出当时上海非遗进校园的现状。我们从调查数据中发现，上海中小学生对一些历史性的、空间性的非遗和小众非遗认知度不高，学生们比较熟悉的是舞龙舞狮、皮影戏、地方戏这种比较热闹的项目。另外一个发现是，中小学对非遗概念的认知程度也不相同。通过对现状的分析，我们总结经验、反思不足，并向市政府有关职能部门建言献策，如何把握正确方向，运用合适有效的方式方法持续推进非遗保护和传承有机融入国民教育体系。

其次，2016年创办《非遗传承研究》刊物，这是上海市第一本非遗领域的专业刊物。本刊最初是作为学校内刊，后经过三年左右的探索和积累，于2019年升格为学术集刊，并在非遗学界引起较大反响，刊物聚焦的重点是对“传承”的“研究”。一直以来，有众多学者为非遗保护与传承进行刻苦探索和研究，这本刊物是他们发表学术成果、阐述学术见解的载体，是跨界跨学科探讨的非遗学术阵地，也为保护和传承非遗提供智力支撑和决策咨询。

第三，编制上海非遗传习地图，这是上海第一个以非遗为主题的电子地图。地图板块包含上海市非遗传承、传习、传播的学校、机构、公共场所等，附有相关非遗项目的简介，汇聚各类优秀非遗保护案例、经验和做法，是上海非遗项目生命力的直观体现。

第四，中心出版《上海非物质文化遗产学生读本》，这是上海第一本以本地非遗项目和场域为内容的基础读本，被评为上海市重点图书。可圈可点的是，这本书也囊括非遗的立法、文化空间等问题和相关的保护、传承政策等。

第五，我们建立起一批非遗类实习、实验、实训基地，以中小学为主，逐渐形成非遗传承片区。中心也组建起一支由专业人士兼职的志愿者队伍，涉及各个学科和多年龄段的工作人员，以此确保中心工作能够长期运营和开展。

中心还有许多活动，有兴趣的读者可以关注“非遗传承研究”微信公众号了解，在此不再赘述。

德缘文化：近几年，非遗乘着国潮的东风，不断融入市场与市民生活，但民众对于“非遗”的概念存在一知半解的情况，作为非遗领域的研究者，您如何解读这个概念？人们对非遗概念以及围绕非遗的诸多说法存在哪些误区？

陆建非：“非遗”概念的提出不是一蹴而就，而是经历过几十年的演变。

2003年，联合国教育、科学及文化组织大会通过《保护非物质文化遗产公约》，我国于次年加入公约。《保护非物质文化遗产公约》出台后，有一些争议持续至今，比如法律对于非遗权利主体的认定还不够清晰。从法规上看，地方政府是保护非遗的责任主体，而非遗又是民间性、家族性的，权利主体范围该如何界定？还有，非遗传承人的权利和义务不对等，义务较多，权益却不明确。再比如，非遗数字化传播，但并不是每个非遗项目都可以通过数字媒体传播出来，不仅面临版权归属的问题，而且

"传播"和"传承"也是两个概念,"数字化"更多是针对传播而非传承。

对概念的理解和表述,我们目前也存在一些差异和误区,做学术研究和开展具体工作,首先要准确用语。

(1)"非遗文化",这个"概念"经常出现在学术研讨会和政府文件中,但这是不规范、不严谨的,因为"非物质文化遗产"已经包含了"文化","非遗"后不可再叠加。

(2)我们可以讲"非遗教育""非遗进校园""非遗在社区",但是不能用"非遗进社区"的说法,这不严谨,因为社区(乡村、里弄、街坊等)本来就是非遗的土壤,是文化生存的空间,我们只是把它唤醒、发掘出来而已。

(3)"活态传承","活态"即走进生活和生产,变为实用和兴趣。

(4)传播和传承,这两个概念应该加以区别。传播是借助网络、数字化等手段进行,使得更多的人了解、知晓,可以在一定程度上促进传承,但并不是"传承"的本身。传承需要借助教育培训、作坊研习、家族沿袭、师徒传授等手段和形式,传承要比传播的难度更大。我们看到的是,花费大量的人力、物力、财力进行大规模的非遗传播,误以为这就是对非遗的传承。然而真正的传承,追求的境界是原汁原味,即本源、本帮、本真。传承对象和传承结果基本上都是小众的。可以这么说,绝大多数的非遗都"流失"了,仅有一小部分得以"流传",在这一小部分中,很大一部分又"流变"了。这就是当下的真相。因此,我呼吁相关机构要把传播所获盈利更多地投入到传承事业中去。

(5)数字非遗和文字非遗,前者被越来越广泛应用,而我更加看重白纸黑字记载的非遗,用文字表达,成为书籍被收录进图书馆、档案馆、博物馆等处的典籍、著作、文章。有些笔墨、纸张等书写工具和载体,它们本身也是非遗。还有图谱非遗,用图像、图照、图案、图示等记录和展现的非遗,更为直观,更加形象生动。这三种非遗的呈现方式,孰轻孰重是需要继续探讨研究的。

非遗的概念,重点在于"非物质",比如海派玉雕,玉雕作品不是非遗,雕刻技艺才是。我们要厘清概念,才能匡正认知,非遗传承不可搞轰轰烈烈的群众运动。而且,非遗是需要被相关专业机构认证的,有区级、市级、国家级、世界级等多个级别,有相关标准和要求,要走流程,获批的就被纳入不同等级的名录,一般称为"非遗代表性项目",涉及传承人的被称为"非遗代表性传承人"。那些没有被认证过的,不能轻易就叫作非遗项目。即便称作"非遗项目",也是"名录"之外的非遗。

二、全球视野下的非遗

德缘文化:传承非遗,就是在传承一个民族生活的哲学和生产的智慧,全世界很多国家都在保护和传承本地区的非遗,不仅是在保存民族的火种,也是在进一步扩大本国文化的影响力。您一直参与对外交流活动,走访过40多个国家和地区,致力于中外文化交流,您如何看待在现代化进程中非遗保护与传承对于中华民族的重要性和必要性?

陆建非:全球化的脚步不可阻挡,全球化和城市化是一对孪生兄弟,如影随形,相互伴随发展。而非遗是以农耕文明为主的前工业时代的人类生活生产方式,是"土地里长出来的文化",在农耕社会的不同阶段不断调适自身,从而获得强大的生命力。但随着现代化进程的脚步,城市不断扩张,非遗原有的生存土壤消失,如何在城市化过程中把非遗尽可能挽留和唤醒,这是我们要好好研究的课题。

非遗是一个民族传统文化中难以续存但是必须保存的部分。在过往很多国外非遗保护和传承案例中,我们发现一些非西方的民族国家,尤其是一些新兴经济体国家,在现代化进程中错误地认为现代化就是一味西方化,把本国传统的东西丢失了,民族精神失去载体,造成社会精神层面的断裂状况,美国政治学家亨廷顿将这种在现代化进程中由于传统失落造成的社会不协调状况称为"一种精神分裂症",患有这种症状的国家在现代化进程中会使自己变得"无所适从",民族灵魂沉沦,民族精神无所归依,给整个国家的精神文明建设带来负面影响。

活化体现,反映了先人生存、生活、生产的样态,它产生于民间、生长于民间、繁荣于民间。我国各地的非遗体现着中华民族特有的生产模式、生活方式、道德观念、审美趣味和艺术风格，蕴涵着人与自然、人与社会、人与人、人与自我之间如何相处的理念，彰显中华民族勤劳、勇敢、智慧的优良品质，同时也折射出诸多与其他国度和民族不同的特质。对几千年传承下来的历史文化要有鉴别地加以对待，有扬弃地予以继承，古为今用，找到中华民族的精神支柱和灵魂归宿，只有文化自信才是一个民族真正的自信。

在全球化、现代化的背景下，我还要谈到一个现象，就是"母语母文化退化"现象，这不仅是我们国家出现的问题，许多国家都有这种现象，如英国的孩子对莎士比亚及其作品知之甚少，美国的孩子对"西部拓荒精神"逐渐淡漠，日本的孩子虽然经常打卡"四大昭和怀旧"地点，但对其精神价值的溯源，也说不大清楚。如果一个国家能改善或较好地解决这个问题，那么这个民族就能够拥有巨大的精神力量。

在全球化进程中，中国人如何彰显自己的文化身份？"我是中华民族的子孙"，简单一句话，你的文化身份——"中华文明 / 文化"就凸显出来了。文明是文化的扩大版，文化是文明的缩小版。当下，一个华人的政治和法理身份可以有多个，但是他的文化身份只有一个，那就是"中华龙的传人"，文化 DNA 是无法改变的，这就是我们的根与魂。从这个意义上来讲，非遗保护和传承不仅仅是一项工作，而是一种文化的理念、文化的样法、文化生活的牵挂、重温和延续，时时处处都在悄然深刻地影响着每一个人。

德缘文化：您提到"全球母语母文化退化"的问题，在全球化时代下，英语长期作为通用语言，国内教育体系也一直强化英语学习的地位，中国也面临母语危机和地方语正在消失的问题，您认为推动非遗保护和传承能否抵御母语和地方语进一步的退化？

陆建非：母语和母文化是指自己的民族语言和文化，一个人在工作和生活中可以使用外语，甚至掌握多门语言，但是对母语的敬畏和热爱是不变的，如果对自己的母语和母文化的认知都淡漠，那么文化身份的认同就会出问题，变成文化"边缘人"、文化"流浪汉"。所谓的"世界公民"，这只是一种理想化的说法，一个人在地球上的根在哪里，即"根文化"，那是伴随一生的。

现在，许多国家的传统文化都呈现退化趋势，不少国家纷纷从强化母语，包括地方语，即方言上下功夫来改善退化问题。面对强势的外来文化冲击，极易造成大众对中华文化认同的弱化或缺失，之前固有的文化体系不断被动摇，削弱了民族的凝聚力。世界范围内非遗保护的兴起，正是人们意识到了这个问题后的意识觉醒，推动非遗保护与传承是对本土文化的一种文化自觉，是在扭转对本土文化的自卑感，是对母文化退化的一种抵御和抗争。在全球化的背景下，没有一种文化可以独占鳌头，文明是多样的、文化是多元的，这是不可抗拒的历史必然规律。目前强势的西方文化不可能替代人类精彩纷呈的多元文化。所谓的强势只是漫长历史进程中的一个阶段性表象。

德缘文化：1991 年美国哥伦比亚大学社会学教授萨斯基娅・萨森（Saskia Sassen）创作出一个词：Global City（全球城市），像纽约、伦敦、东京被纳入这个概念范围。这些全球城市在发展过程中始终把历史传统和文化遗产融入城市的规划和建设中去，旨在形成独有风格。上海作为国际大都市，中西文化碰撞，对于传统文化冲击更大，您认为上海的非遗与城市文化建设可以做怎样的结合？是否有典型案例？

陆建非：全球城市（Global City），又称世界级城市（World City），与巨型城市（又称超级城市，Megacity）相对。前者指在社会、经济、文化或政治层面直接影响全球事务的城市。2014 年我们曾邀请这个名词的创作者来到上海师大做学术报告。

通常，我们把纽约、伦敦、巴黎、东京列入全球城市的第一梯队，处于亚洲的上海、北京、广州、香港、首尔、迪拜、新加坡等也在力争跻身于全球城市的第二梯队。具有全球城市（Global City）之称的几大都市无一例外都将历史传统和文化遗产融入城市发展规划和精神塑造中去，使大量属于非遗的知识、观念、实物、技艺、仪式、节庆等得以留存和保护，由此彰显城市的独特性。

城市不是相似的高楼大厦，要有自己的城市精神、文化特征，这都需要靠文化去凝练和表征，我们称之为“全球城市共同觉醒”。由于文化与自然遗产的不可再生性以及存在环境的日渐消失，一些卓有远见的学者指出，文化与自然遗产的保护应该与人口问题、生态环境问题一样，处于同等重要的地位，应成为中国的第三国策。

上海是一个文化遗产富集的国际大都市，两百年间从渔村发展成为远东金融中心，累积了大量彰显本地特色的非遗项目。上海简称“沪”(一种古代上海先民的渔具，系用绳编结的一排竹栅，插在河中，以拦捕鱼蟹，即江浙一带人所称的“鱼簖”）或“申”(源自战国四公子之一的春申君，即黄歇，“海派文化”的历史渊源之一)，我认为这两个字足以体现“非遗”的历史蕴意。上海善于领先、乐于率先、勇于争先，“三先”精神是上海人的精神遗产。从2005年起，上海就开始启动非遗保护和传承的普查工作，包括挖掘、整理、认定、评估、管理等。

截至2023年6月，上海共有国家级非遗代表性项目63项、非遗代表性项目保护单位371个，市级251项、区级近800项，国家级代表性传承人120名、市级794名、区级近千名。列入国家传统工艺振兴目录项目19项，市级传统工艺振兴目录80项，国家级非遗生产性保护示范基地2处。

上海非遗得益于得天独厚的历史、地理和人文环境，融合古今、交汇东西，呈现鲜明的近现代工商业文明特征，在以农耕文明为主体的我国非遗体系中独占鳌头。有农耕社会的民俗风情，如罗店划龙船习俗、崇明灶画、徐行草编；有工业文明的都市表征，如码头号子、石库门里弄建筑营造技艺、上海牙雕；有原汁原味的本土技艺，如滑稽戏、独脚戏、浦东说书、浦东山歌、江南丝竹、乌泥泾手工棉纺织技艺；有声名远播的中医诊疗法，如朱氏推拿疗法、顾氏外科疗法、古本易筋经十二势导引法。更有琳琅满目的海派非遗与上海这片特殊的文化土壤休戚相关，是多元包容的文化心态和开放创新的文化胸怀的产物，更是历史馈赠给这座城市的珍贵礼物，例如海派旗袍、培罗蒙奉帮裁缝缝纫技艺、凯司令蛋糕制作技艺、石库门里弄营造技艺、海派家具以及上海本帮菜……都是上海这座城市成长为当代国际化大都市过程中的重要角色，他们在新时代焕发了新面貌。正是这些非遗折射出上海城市多元、多彩、多姿的文化底色，彰显包容、厚实、久远的文化底蕴。

石库门是最具上海特色的建筑，是江南地区居民居住样式之一，也是孤岛时期上海租界特有的样式，更是中国共产党的诞生之地，石库门是特定时期特定区域的产物。上海石库门群典型的代表是“张园”，经过多年的修缮，张园成为上海规模最大、保护完整的石库门建筑群，这也为海派非遗提供了城市空间。

又如海派家具，俗称上海老家具，指在1843年后在上海出现和生产的西式家具和中西合璧式家具，包括舶来上海的西洋家具、20世纪20年代的摩登家具、20世纪30至40年代的装饰主义风格（Art Deco）的家具。西式家具在上海本土化过程中，融合了地方特色，最终成就了独具特色的海派家具。

唤醒非遗，与城市共情共生，在城市里为非遗留下足够的生存空间（物理空间和数字空间)。非遗是“活”的文化载体，由于原本非遗赖以延续的环境消失，传承人“手”“脑”“口”中的非遗正悄然消失。同时，非遗传承是一种“活”态的文化传承，讲究的是师徒间的口传、手授、意会，甚至是一种亲情和家族关系的赓续。非遗传承更崇尚小集体作坊制，注重相聚一堂共同参与的氛围。因而非遗传承是有温度的，有情感交流的。随着环境的嬗变，社会的发展，非遗传承的方法、手段和路径势必与时俱进。借助现代科技、传媒、创意等手段，为其注入新的养分，让非遗插上信息化翅膀飞入钢筋水泥的现代化城堡，再次焕发青春活力。将非遗资料数字化，逐渐形成数据库，是抢救、保护非遗并最终实现传承的一种重要方式。同时，在城市转型或重塑过程中，要留出一定的空间，变成馆、所、坊、室等有温度、有人气的“非遗之家”，或者虚拟平台，让古老悠久的非遗在现代化城市中歇脚、舒筋、扎根、繁衍。

三、借助数字化手段

德缘文化：数字化是保存非遗项目的重要手段，但是也具有一定局限性，您多年来致力于“非遗进校园”，在此过程中也借助了数字化手段，这是否带来一些问题，以及我们该如何更好推进人传人的非遗传承事业？

陆建非：党的二十大报告对“实施国家文化数字化战略”进行总体安排和部署，从宏观层面持续强化对文化数字化转型的顶层设计。

首先我们要明确这个概念，“数字化非遗（digitalized ICH）”，而不是“数字非遗”。现在许多平台、各类机构和学校，用数字化手段来保存非遗，这种手段可以采纳，利用数字媒介的交互性、便捷性、沉浸性等特点，可以为非遗信息的表达提供更多选择使其展示方式更加多元化，传播的内容更具吸引力。但是非遗有“口口相传”“手把手教”“师徒承袭”“家族传承”“作坊制作”等特点，技艺的传承需要稳定的关系、现场的氛围、感情的投入。

数字化非遗，一是资料累积数字化。非遗传承的方法、手段、路径必须结合当下时代的技术手段。比如上海的码头号子，原本是工人在码头劳作时为了缓解疲劳，以日常生活为素材而即兴创作的调子，这样的项目就可以通过录制拍摄的方式把它保存下来作为资料。

二是呈现形式数字化。由于年轻一代的认识习惯，数字化手段所呈现的非遗正在现代化校园中不断丰富、有效拓展。在全国众多“非遗在社区”“非遗进校园”项目开展得较好的城市，已经尝试采用信息化手段来提高非遗传播传承的效率。比如上海市嘉定封浜高级中学作为上海市非遗进校园优秀传习基地之一，校内有一个非遗博物馆，馆内不乏以数字化形式呈现的范例。学校将展馆设计成一个个微型空间，以嘉定区非物质文化遗产为主题，从“衣、食、住、行、乐”等多维度、多视角展现嘉定本地的非遗，通过参观和体验，也让受众感受到古代嘉定先民的生活习俗和劳动智慧，这是一般的课堂教学所无法比拟的。

从传播学视角看，传播受众的差异性表现在文化背景、文化价值观、信息需求以及信息选择与处理等方面。

此外，对非遗数字化传播受众的研究还需要考虑非遗及其所在民族的文化特征、非遗独有的地域特性，即受众更需要文化的认同和文化公共价值观。因此，借助数字化手段在非遗保护、传播的推进过程中，仍面临诸多问题，需要冷静思考。

第一，需要持续提高整个社会对非遗的认知度。非遗不仅要走进校园，更要以一种民众乐于接受、易于研习的方式“活”在社区，想方设法鼓励市民、学生与非遗亲密互动。对相应设施、设备、材料、人力等的投入须加大力度，不断升级换代。唯此，社会对非遗认知度才会大幅提升。

第二，不能盲目夸大非遗信息化传承传播的效果。信息化也好，数字化也罢，这只是非遗传承传播的手段之一，要真正提升传承传播的广度和速度，还得分门别类，制定不同的方案，以期实现非遗传承传播的深度和效果，尤其是面对那些精细化、复杂化程度较高，现场感特别讲究的非遗，信息化手段未必对路子。不适合数字化呈现的非遗有很多，比如餐饮类，就需要到现场使用特定的手工和食用方式才能体验。而微雕类的非遗项目就比较适合数字化呈现，放大到屏幕上更清晰地展现给观众，每一个精准的技巧，每一处细微的变化，一览无遗。

第三，非遗的传播传承要符合当代学生的学习规律和心智成长规律，符合社会公众的审美习惯和生活需求，使之成为伴随一生的爱好和兴趣。非遗数字化传播不只是一个技术问题，还是一个复杂的文化问题，所涉主体复杂，现有的数字化传播模式难以展现所有非遗的活态性。数字化传播必须充分考虑非遗活态传播的特点，才能使数字化传播更有效；同时，不同类别的非遗应当有不同的数字化传播形态，但现存传播方式存在“一刀切”的问题，缺乏传播形态的多样性与多元化。要对非遗项目进行有计划的、持之以恒的品牌建设，对接文创项目，结合旅游攻略，开辟传承新路，拓展传播渠道，倡导实用，促进消费，提升素养。

第四，加强数字化平台的法制管理和市场化引导。数字化讲究的是持续更新迭代，不断投入资金，内容上的更新要精确到数据、日期和地域，可以结合图谱化手段，多种方法融合共同完成非遗的呈现、申报等工作。要对非遗相关的印刷品、多媒体资源进行市场化引导，注重版权的保护，不然极易引发数字化带来的问题，比如内容源头的存疑、版权归属的争议、对传承人保护和尊重的缺失及其相关权益问题等。

非遗数字化传播面临许多挑战，时而也会陷入困境，非遗保护国际公约以及我国非遗立法中所倡导的“非遗教育”，我觉得十分紧迫和重要。信息化只是一种手段，它更多的作用体现在非遗广泛持续的传播，让更多的人知道和了解。要本真、本源地精准展示，光靠信息化手段还不能完全达到目的。“传播”并不等同于“传承”，即便是“研习”或“传习”，也未必能仅通过“传播”就习得非遗的全部秘诀和要领。更何况“匠心精神”“创业精神”等的传递也不能完全数字化。

德缘文化：您在非遗保护和传承事业中着重于“传承”，而传承特别需要深厚的文化沉淀和浓厚的民俗氛围。上海是一个东西方文化交汇之处，又是在现代化进程中走在前列的城市，在这样的大环境下，上海在非遗传承方面又面临什么样的难题？

陆建非：中国传统文明/文化是指中国历史上以个体农业经济为基础，以宗法家庭为背景，以儒家伦理道德为核心的社会文化体系。她是祖先传承下来的丰厚遗产，曾长期处于世界领先的地位。她所蕴含的思维方式、价值观念、行为准则具有强烈的历史性、遗传性，同时又具有鲜活的现实性、变异性。上海非遗传承方面的难题，在社区和校区都可以碰到。

社区方面，最迫切的问题是传承人的老化。据统计，最近几年已经有两百多位国家级非遗传承人陆续过世，而且二代、三代的人传承意愿较低，传承人的现状堪忧，遭遇断代的困境。

校区方面，尤其是中小学，上海非遗进校区举措实施后，在几十个学校设立非遗传习基地，搞了各种比赛，形成学区片块，但范围并不广泛，而且配套的师资、教室、场所、经费都不足。上海有许多学校申报特色（重点）学校，申报成功的多数是以现代学科为特色的，且不少是顶着某些大学附属学校的牌子，单独以研习某个非遗项目而成功申报成为特色学校的凤毛麟角。还有一个现象是，非遗在普通中小学、远郊学校、民工子女学校、职业高中开展得较好，而示范性学校、国际学校，还有那些双语/外语学校等对传统文化反响冷淡，这种现象值得关注和研究。

非遗本就在社区，这儿的“社区”概念是宏观的，指的是民间、基层，就是非遗形成并赖以生存和发展的土壤，只是我们发掘得还不够。非遗需走进校区，这是因为青少年是非遗传播传承的主要受众，他们年纪轻，好奇心强，可塑性大，容易被“熏陶”。这需要经费、平台、研习体系、评价体系等，有非常多的工作要做。从传承传播的角度来说，一是非遗走进社会很重要。在现代生活中的衣食住行诸多方面，我们都能见到海派非遗的影子，如凯司令蛋糕制作技艺、钱币生产手工雕刻技艺、海派旗袍制作技艺等等，非遗只有真正融入生活，才能一直存在下去；二是变为实用，即可操作、有用途，例如包装方式、比赛项目、节日庆典等等，逐渐变为实用技能、生活方式、欣赏情趣；三是我们不能只关注那些热闹的非遗，而忽视小众的、“安静”的非遗，比如书法、围棋、古琴等，也要走进校园。

四、形成非遗书面成果

德缘文化：您曾多次表达过“非遗在轰轰烈烈地传播之后，必须有实实在在的东西留下来”。非遗要传承下去就要建立学科体系，形成学术/知识的书面成果。因此，您主编出版了《上海非物质文化遗产学生读本》。

陆建非：互联网时代，使得许多内容实现了“云存储”，我们在手机或者电子阅读器上能够读到很多信息、知识。但是在我看来，像非遗保护与传承这样任重道远的工作，必须有沉淀到纸张书籍上的成果，这些宝贵的知识和学术研究落于纸面，既是对知识的梳理，也是对作者及其作品的尊重和敬畏，把书籍保存在档案馆（室）、图书馆、文史（博）馆等处，在时间长河里才不会被爆炸式的信息冲散。

《上海非物质文化遗产学生读本》出版于2019年9月，这是上海第一本非遗主题的入门基础读本，围绕上海本地的非遗项目、非遗空间、传承人、相关立法等撰写而成。所谓的“学生读本”并非仅限于在校学生，任何想要了解非遗知识的人都可以把这本书当作入门读物。这本书包含四个篇章：知识篇、场域篇、项目篇、人物篇，以及上海市级非遗目录、上海非遗进校园优秀传习基地名单、首批全国普通高校优秀传统文化传承基地名单。

这本书是我努力争取到的一个项目，编撰的过程非常艰难。我们花了很多工夫去探究和筛选，把上海具有代表性的非遗项目、非遗场域、非遗传承人等选编到书中。在文字和图片的版权上，也严谨对待，用一定的预算购买图片照片、口录文字等的版权，确保书籍出版后没有争议。这本书在内容和人物的筛选上比较精准，也融入了一些在学术上仍存在争议的内容和观点，这些需要被不断关注和论证。此外，对于一些小众但是具有艺术、历史价值的非遗项目也被编入书中。我希望未来这本书可以出双语版、市民简版、教程版等，多一些版本针对不同群体的读者。

德缘文化：您主编出版的学术集刊《非遗传承研究》，办刊不易，9年办刊更不容易吧。请您谈谈这项重要成果。

陆建非：《非遗传承研究》这本集刊的诞生也是不容易的。2016年我从上师大主要岗位上退了以后，一直和团队成员思虑着非遗传播传承和非遗教育不能仅仅停留在办个活动、做个公众号，或者开个学术研讨会，这些活动和会议常常结束后就再无下文，如果要留下些什么，最好的方法莫过于出版纸质书。在出版界和学界，大家都知道编集刊是个苦活儿，有人跟我开玩笑说：想要体面地死就去编集刊。办一本集刊需考虑方方面面的难题：持续不断的资金、稿子来源、编辑思路、文稿质量、意识形态把控、编辑部骨干力量等等，但是再难我们也下定决心要做这件事。

正儿八经的非遗保护的历史在我国只有十多年时间，但我国非遗保护工作很好地与地域文化、民族文化，尤其是以乡村为背景的优秀传统文化的保护结合了起来，这既是对非遗保护路径的革新，也是对非遗保护理念的创新，从而形成了具有中国特色的非遗保护经验，这本集刊的推出是我们对非遗保护、传承、传播和教育等一系列实践的回眸、反思和展望。

为了让这本集刊得到更多的支持，我们团队曾写信给国家非物质文化遗产名录专家委员会主任、中国文学艺术界联合会荣誉委员、文化大家冯骥才先生，邀请他加入这本集刊。我和冯先生本不认识，做好了被拒绝的心理准备，结果他欣然受邀！2021年起，冯骥才先生担任《非遗传承研究》集刊名誉主编，这鼓舞和激励着我们团队进一步提高办刊责任、办刊质量和办刊效率。

2024年，《非遗传承研究》创刊已经9年了，它成为中国学术期刊综合评价数据库（中国知网，CNKI）、国家哲学社会科学学术期刊数据库、中文科技期刊数据库（维普）、超星学术期刊“域出版”、龙源期刊网、万方数据库等来源期刊。

一路走来，崎岖坎坷，五味杂陈。编辑团队中的副主编林银光老师原来就是一位资深老编辑，文字功底十分深厚，尤其对文稿内涵和行文规范的要求近似苛刻。副主编戴建国老师是古代文学的博士，在上海师范大学图书馆搞研究工作，带教民俗学方向的研究生，他学术素养很高，笔耕不辍，大大小小的作品频频发表。我们三人的工作关系真的是精诚合作，可谓“话不多，事不拖，人不作”。殷殷之情，心心相印。

每年筹措办刊经费是最伤脑筋的事，经费资助主要来自增爱公益基金会、上海师范大学陶行知研究中心、相关出版社等，还有一大批理事单位给予帮助和支持，这才使得刊物生存下来。我们先后与上海教育出版和中西书局合作。本刊实行稿费制，但拒绝登载有价广告，我希望这本集刊能够保持学术的纯粹性，这在出版界并不多见。同时成立专家指导委员会，在学术上予以指导。办刊物我们牢记“三个坚持”：坚持正确的政治方向，坚持高尚的文化品位，坚持鲜明的办刊特色。办刊的初心是致力于非遗保护和传承，让集刊成为上海和江南地区非遗研究的前沿阵地、非遗在都市传播的重要载体。

非遗传承人口述史实践中的问题探析

陈桂权　谢　侨

摘　要：传承人口述史也是传承人的生命史。重视传承人人生史研究，将提高传承人口述史的信度与效度。传承人口述史并不排除传承人的主观看法与认识；传承人口述文本是传承人与整理者的共同叙事，文本整理是对口述资料的深加工，需要遵循统一性、完整性、避免叙事模式化的原则，原文照搬、只增不减的口述史整理理念并不适合传承人口述史。

关键词：传承人口述史；非遗保护；口述史

随着非遗研究的全面深入，采用多学科、多路径的方式研究非遗的成果不断涌现，口述史作为一种研究方法已被非遗研究广泛采用。非遗传承人口述史实践中表现出的叙事特点与存在的问题也被学者们所注意到，并提出相应修正措施。人们希冀通过建立一套标准化的口述史流程来规范非遗传承人口述采访，以提高其效度与信度。

本文检视非遗传承人口述史研究中常见的问题，分析其出现原因，并提出口述史文本整理需要遵循统一性、完整性、避免叙事模式化的原则。

一、非遗传承人口述史实践中的问题检视

在我国非遗保护与研究中，引入口述史研究方法的时间虽然相对较晚，但其引入对推动非遗保护与研究工作具有重要意义。

传承人口述史是一种研究方法，也是非遗研究的重要内容。传承人口述史的关注点在非遗传承人及其所传承的文化事象上，尤其关注对即将濒危的中华优秀传统文化的保护与传承。因此，它与一般历史观察者视角有所不同，它掺杂了传承人的认知与看法，这些内容是其重要价值的一方面。

在传承人口述史实践中，对某些基本问题的理解与把握将影响到口述史文本的整理，如对传承人口述史“原真性”“细节性”的不同理解将直接影响到口述史文本内容的取舍；对传承人人生史研究的重视度也将影响口述访谈的深度与文本的效度。

1. 传承人口述史的“原真性”

有种观点认为，传承人口述史强调史实的“原真性”，即其原始录音抄本，“讲求原生态呈现，不对访谈内容做包括方言、俚语乃至语气词等细节的任何增删节略，最终的文本呈现也本着‘只减不增’的原则，且往往需要文献的考据、互证，强调传承人传记、传承谱系、代表作目录等档案性、资料性的内容以及对录音、录像、抄本等的规范化存录”[1]。这种口述史采录对传承人所讲述“史实”的要求非常高。我们试图以这种方式来尽量使所采集到的内容接近，或无限接近真实，以保证其原真性。

口述史原真性问题的本质涉及对“史实”是否能做到完全真实地讨论。不过这种史实的真实性是有限性的真实，因为夹杂了个人经历、理解、编码、解码之后的记忆，再由讲述者口述出来的内容，始终无法做到绝对原真。

基金项目：本文系四川省社会科学重点研究基地四川民间文化研究中心 2021 年度项目“口述史整理范式比较研究”（项目编号 MJ21-139）、重庆市人文社会科学重点研究基地“重庆市非物质文化遗产研究中心”2023 年度开放课题“非遗亲子活动在幼儿教育中的影响及路径研究”（项目编号 JD2023-Y005）的阶段性研究成果。

作者简介：陈桂权，绵阳师范学院四川民间文化研究中心副主任、副研究员，博士；谢侨，绵阳师范学院四川民间文化研究中心实习研究员。

口述内容不同，对史实真实性的要求也不一样；非遗传承人口述史的真实性是带有主观性的“真实”，这是口述史的特点。

学界对于口述史这一特点，褒贬不一，在非遗传承人口述史中，我们认为其主观性并非坏事，而是好事。

在非遗传承过程中除基本内容的延续外，还有传承人的个人贡献，这种个性因素恰是非遗特性的体现。所以在传承实践中我们才会看到这种现象：同一个项目，在不同传承人那里所呈现出的最终样态，在整体一致性的前提下会有细微差别。这便是传承人主观性的体现，由他讲述出来的口述内容自然就带有个人主观色彩。相反，对于不同传承人口述中那些高度一致的内容，我们需要谨慎甄别，不可武断地以为他们都这样表述就一定是真实的体现，其也可能是受到某些外部因素干扰后，“统一口径”的说法。

2. 传承人口述史的“细节性”

个体叙事的细节性是口述史的一大特点，是对传统历史宏大叙事的弥补。正因如此就凸显了口述史在弥补民间文化叙事细节性方面的价值。在已出版的各系列口述史丛书上都体现了这一特点，以《中国木版年画传承人口述史丛书》[2]为例，该书通过对年画传承人的深度访谈，通过他们的经历反映出木板年画的传承演变。这种由个体到整体、以小见大的叙事形式是微观史学的研究路径，能丰富传统历史文献叙事的不足。

合格的传承人口述史不仅能为“研究者提供各种‘非遗’的‘活的历史’和传承人的口传记忆、文化观念、技艺知识以及生命情感等等，更重要的是它能够真正反映出‘非遗’传承人群体的价值认同、文化记忆、生产行为与社会结构、社会变迁之间的互动关系”[3]。为实现这一目标，传承人口述史研究者们已建立起一套完善的采录标准流程，尽可能地规范口述采访内容，最大限度收集口述史料。

中国木版年画传承人口述史将传承人的人文自然背景、家族史及传承人成长历程、杰出技艺内容与其文化内涵、杰出技艺传承及过程、杰出技艺的传播五大方面内容作为口述史采集主要问题，构建起传承人活态传承与项目传承历史过程等重要历史信息。

应该说，这一传承人口述史采集框架具有广泛的适用性。在非遗口述史采集中，遵循这一采集框架能够保证采集到的口述内容与主题有较高的相关度。

传承人口述史既是人的生命史，也是物的社会生命史。作为人的生命史这一层面所涵盖内容是与其从事非遗传承经历相关，对于这类信息的采集与整理应尽量全面，以为下一步研究打下基础，在这个过程中对细节的把控要注意避免出现旁线干扰，甚至覆盖主线的问题，即不相关信息或过于琐碎信息影响主线叙事的完整性。

民间文化传承人群体具有多样性特点，加之口头讲述的随意性较强，采访过程中传承人可能对某个细节记忆深刻，进而讲述内容过多，而对那些与传承项目更相关的内容提及甚少。比如，有些技艺类非遗传承人所传承项目的市场化程度较好，其本人也获得各种荣誉，他们在讲述传承经历时会绘声绘色地讲述其创业史。采访过程中当遇到类似情况时，访谈人尽量不打断传承人的口述过程，待他讲完时，再引导回叙事主线上。在最终的文本整理时，我们需要对这部分内容进行特别处理，力求做到叙事层次清晰、重点突出、主次分明。

二、非遗传承人口述史中“人的因素”

非遗传承人口述史中的问题呈现出来后，我们发现解决这些问题的关键在于把握传承人口述史中“人的因素”。“人”是传承人口述史的主体，口述史料的来源。传承人口述史中的“人”包括两个类别：传承人、口述访谈人（研究者）。非遗传承人口述史是二者合作的结果。正如闫慧芳所言：“传承人口述史是由传承人与研究者共同合作完成的一种会话叙事和文本书写，双方在持续对话过程中进行叙事话语的交流与碰撞。”[4]因此，在非遗口述史采集与研究过程中要重视“人的因素”。

1. 注重对传承人人生史的研究

传承人是非遗传承的主体，也是叙事的主体，其自身个性特征，如性格、经历、认知等，均会对非遗传承产生影响，也会影响口述内容。所以，我们在口述史采集过程中对于传承人人生史的研究就十分必要。

清楚地了解传承人的人生经历，能帮助研究者更全面地理解其从事的非遗传承事项，对于其中可能涉及价值判断的内容，也能建立起“理解之同情”的前提。传承人的人生史至少应包括：身份信息、家庭信息、成长经历、从艺经历四方面的内容。与传承人建档要求不同，研究传承人人生史的目的是要构建起一个动态过程，我们最终要了解其人生史对他们从事非遗传承的影响，而不是简单的信息收集。比如刘燕等对昌黎地秧歌传承人侯海波人生史的研究就非常全面，她们从“学艺之路”“恩师之情”“舞‘丑’之舞”“秧歌之舞”“薪火之传”[5]构建起传承人以非遗传承为主线的人生史。

受诸多因素影响，有些传承人讲述自己经历时会有意无意地增加“传奇色彩”，进而赋予自己身份的特殊性，访谈者若遇到这种情况时就需要通过其他途径进行佐证，这样做的目的是让口述史料尽量接近“史实”。为此，可以从传承人自述与他人口述两方面来共同建构传承人人生史。

2. 注重提高口述访谈人的综合能力

自从口述史引入非遗研究后，非遗传承人口述史研究队伍不断壮大，以“口述史”方法研究非遗的成果大量涌现。为规范口述史采集，目前已经形成了一套较为完整的传承人口述采集流程。这一流程内容包括准备、访谈、文稿整理、文章校对审核、出版几个环节，其所涉及技术部分均有明确要求。该流程中的核心环节是访谈与文本整理。通过大量口述史实践，我们发现口述文本质量高低与访谈效果的好坏直接相关。

传承人、访谈者、口述采集的场景等主客观因素都会影响到口述访谈的效果，传承人与访谈者作为口述史的主体，其综合素质至关重要。提升访谈者的综合能力是提高口述史效度与信度的有效措施。合格的口述史访谈者应该具备三种能力，即学术研究能力、人际沟通能力、文本分析考证能力。

传承人口述史采集与新闻采访不同，按照访谈提纲，一问一答的理想模式仅停留在“研究设计”中。口述史采集实践中情况复杂且多变，需要访谈者根据具体场景、情况，灵活调整口述访谈策略，以适应口述采集实践要求。机械地遵照访谈提纲提问，不仅难以深入挖掘传承人所承载的各种信息，也可能给对方造成不好的访谈体验感，使访谈活动难以进行。因此，传承人口述史采集需要访谈者具有相对完备的综合知识，除专业知识外，对于历史、地理、社会经济等方面的知识均需要有所积累，同时还要求访谈者具有较高的“亲和力”与较强的人际沟通能力。访谈者适当引导与交流会更有利于传承人讲述内容的全面深入。

三、传承人口述史整理中的“取舍”

非遗传承人口述史从采集到形成文本的过程需经口述史书写环节。口述史常见的书写形式有三种：对话体、自述体、对话与自述的结合体。三种书写形式各具特点，适用于不同的口述对象。不论采取哪种书写形式，从口头陈述到文本，均需要整理者的加工处理。我们认为在整理口述史文本时应该有所取舍，那种将语音直接转录成文字的做法，看似遵循“实录”原则，但并不是合格的口述史整理方式，其所得文本资料的价值与有效性均会受到影响。传承人口述史整理应遵循统一性、完整性、避免叙事模式化的原则。

1. 统一性原则

传承人口述史叙事前后须具有统一性。传承人口述时通常会以时间为叙事主线进行，而人的记忆随着时间间隔的久远会发生偏差，有时同一件事情，讲述者两次提及时的发生时间可能相差很多年。整理者在处理这种问题时，可以采用前后对比与征求第三者说法的方式进一步确认，最终获得相对准确的叙述时间，并做到全文统一。

统一性原则应贯穿口述史文本整理的全过程，对于同一人、同一事均要坚持这一原则，避免出现叙事混乱。

2. 完整性原则

整理传承人口述文本还应注意叙事的完整性。叙事的完整性包括访谈文本的整体完整性与单个问题回答的完整性两方面内容。所有问题回答的完整性最终构成访谈文本整体的完整性。

在访谈过程中，访谈人要注意尽量不打断讲述者的讲述过程，以保证传承人讲述的完整性，但是口头表达具有零散性特点，有时，在回答某一问题时，传承人在讲述中并未回忆起完整的内容，若在后续讲述其他问题时又想起，通常情况下会及时补充。这部分内容就需要整理者灵活处理，归为前面问题的回答内容，将其补充完整。最终口述史文本呈现的状态应该是问题与回答的一一对应，使问题与回答具有高度相关性。同一件事情，若传承人前后反复提及，整理者需要根据上下文关系进行精简处理，避免重复。

传承人口述史是动态的历史过程，因此完整性还包括其历史背景的完整。口述史整理者须将“口述者放到具体的历史背景下进行考察，深切了解其生存状况、社会经济文化的影响、政治环境的制约等，没有这样的认识，单独的访谈将显得空穴来风，也会使得口述材料经不起推敲”。[6]

有时，作为个体的传承人在宏大历史背景下对个别事项发生的时代背景与历史意义可能并不了解，这方面的内容就需要文本整理者与口述史研究者在具体实践应用中进行补充。以注释形式补充是一种较合适的处理方式。

3. 避免叙事模式化

非遗传承人口述史访谈时，有些基本问题需要传承人对应回答，访谈提纲也是围绕这些问题设计。采访时，访谈者应围绕这些问题进行访谈，将问题的回答内容充实起来。

同时，口述史采访的过程本身具有动态性与灵活性的特点，每个传承人的人生历程亦不相同，通过传承人的口述，我们不仅要了解传承人本身经历，也要反映民间文化生活。所以在设计问题之外适当追问，能进一步激活口述人的思维，挖掘更多有效信息，充实访谈内容。

在一些不成熟的口述采访中，访谈者仅机械遵从访谈提纲提问，访谈问题未能展开，进而导致口述文本沦为一种模式化叙事，文本价值不高。出现这种情况的主要原因是访谈人经验不足，前期准备工作不充分，未能深入了解传承人的人生史与其所传承非遗的特点。

四、结语

口述史方法的引入极大丰富了非遗研究的内容，使其更加完整。通过多年研究实践，非遗传承人口述史成果大量涌现，体现出了口述史方法赋予非遗研究的极强生命力，将非遗保护传承与研究推上新高度。

传承人口述史不仅具有较高的史料价值，也具有独特的文化价值。传承人口述史整理、研究工作需要遵循相应的原则与技术规范；研究者们在大量工作实践中总结访谈经验，完善研究方法，推进非遗传承人口述史研究迈上新台阶。

参考文献

［1］孙玉芳．“传承人口述史”与几种新文类的比较［J］．文化遗产，2024（2）：28.

［2］王小明．朱仙镇年画［M］．天津：天津大学出版社，2011.

［3］王拓．技艺与记忆：“非遗”传承人口述史方法论的建构维度——以中国木版年画传承人口述档案的建立为例［J］．内蒙古大学艺术学院学报，2014（1）：127.

［4］闫慧芳．非物质文化遗产传承人口述史的叙事特征研究［J］．文化遗产，2023（4）：40.

［5］张竹岩，刘燕编著．长城舞传：河北长城沿线非遗舞蹈口述史［M］．秦皇岛：燕山大学出版社，2022：9—12.

［6］潘刚，马知遥．民俗语境下非物质文化遗产传承人口述史原则与方法［J］．云南师范大学学报，2015（1）：64—65.

非遗新青年的角色与价值取向探究

高忠严　韩文倩

摘　要：随着我国非遗的保护与持续发展，非遗的传承主体也在日益年轻化，非遗新青年成为非遗传承的一支新生力量，包括非遗青年传承人、非遗青年创业者、非遗青年爱好者与非遗青年创建者，他们在当代非遗的发展进程中扮演重要的角色，能够促进非遗的数字增能与文化增能。在保护与发展非遗的过程中，也要培养其正确的价值取向，坚持“保护而非冻结”与“可持续发展”的价值原则。非遗也正在以生生不息的连续性、其命维新的创新性、以中为中的统一性、和而不同的包容性与上善若水的和平性，加深非遗新青年的身份认同与民族自豪感。

关键词：非遗新青年；角色转化；价值取向

2024年3月5日第十四届全国人民代表大会指出：“要推动科技赋能非遗创新发展”，利用新的技术对非遗的形式与内容进行创新与转化，深化“非遗触网”的深度与广度，鼓励更多的高校与社会青年人才接触非遗，传承非遗。文化和旅游部等十部门《关于推动传统工艺高质量传承发展的通知》中明确提出：“要建立年龄结构合理、数量充足、素质优良的传承人才队伍。”[1]在非遗的传承过程中，不仅仅要依靠传承人的努力，也要重视当今各种非遗新青年传人在非遗的推广创新中发挥的重要作用。我国非遗项目繁多，但针对非遗形式创新、多元非遗融合发展等方面还有很多不足，依靠传统发展路径已经不能促使非遗焕发新的生命力，“非遗＋直播”“非遗＋娱乐”等新的非遗传承形式，对非遗传承人也提出新的要求与挑战，因此将更多的青年人吸纳到非遗传承与创新的进程中来已刻不容缓，青年一代将在非遗的保护与传承中扮演多元化的角色，促进非遗的多样化发展。

一、非遗新青年的特征与角色探析

非遗的传承到底是面向过去还是面向未来？这是当今学界讨论的重点话题。从我国近几年文化和旅游部组织开展的黄河流域非遗调查工作数据显示来看，[2]非遗传承人的年龄分布呈现年轻化的态势。非遗传承主体涵括的范围在不断扩展，并且不断地年轻化：有世代相承的新一代非遗传承人；有生活在非遗社区环境中受非遗熏陶的青年人；有因兴趣爱好相同、地理距离相近形成的趣缘群体组成的非遗青年爱好者团体。同时高校也在非遗接续者的培育中发挥着不可替代的作用，在各大高校的校园也都有一些非遗爱好者和实践者。非遗新青年由非遗“旁观者”转向为“追潮人”，再发展为“守护者”，部分成为真正的“责任人”，非遗与非遗新青年互相融合渗透。因此，当今非遗的传承与发展应当面向未来，而未来就是面向青年，“非遗新青年”是一个范围很广的概念，其范围应该包括非遗青年传承人、非遗青年创业者、非遗青年爱好者与非遗青年创建者。

这些不同身份的非遗新青年都是广义的非遗传人，他们从不同的环节和角度，以各自的方式共同促进非遗的发展。他们之间不是对立的，而是互相交叉融合，共同发力加速非遗

基金项目：本文系2023年度山西省哲学社会科学规划课题“非物质文化遗产赋能山西美丽乡村建设机制和路径研究”（项目编号2023YJ050）、山西师范大学研究生教育创新计划支持项目“山西非遗新青年的角色定位与价值取向调查研究”（项目编号2024XSY12）、中国民协民间文化教育指导委员会项目“‘民俗文化’进校园理论与实践：以山西师范大学为例”（项目编号2023434）的阶段性研究成果。

作者简介：高忠严，山西师范大学文学院副教授；韩文倩，山西师范大学文学院硕士研究生。

的发展。有些新青年的身份也不是单一的，他可能既是非遗青年传承人，又是非遗青年创业者。非遗新青年的身份也并不是一成不变的，每个人都是多元角色的载体，互相借鉴学习，真正实现非遗的“和而不同、异而相融”[3]。

（一）非遗新青年的特征

非遗新青年包括非遗青年传承人、非遗青年创业者、非遗青年爱好者与非遗青年创建者等青年群体，这些青年群体的特征与当今非遗的传承保护以及未来发展息息相关。在信息化、全球化高速发展及不同国家政治、经济、文化紧密联系的时代，非遗新青年特有的全球视野与多元文化认同、创新与科技利用、社区参与和自主意识等特征正在为非遗的全球对话创造机会，同时也在非遗的实践发展中展现新的面貌。

1. 全球视野与多元文化认同

非遗新青年具有开阔的全球化视野，在传承推广非遗的过程中，将非遗的发展与宣传并不局限于国内，而是利用全球化的机遇与挑战，不断开拓非遗传播领域，重新定位非遗的国际地位与价值。非遗新青年同时受到全球化的影响，具有更全面的问题意识与更强的多元文化认同，他们对不同文化的接受度和认同度较高，这些都有利于我国非遗在国际交流与传播的过程中打破文化壁垒，实现文化共享，增强文化自信。例如，我国非遗青年创业者张佳慧曾多次带着贵州手工拉丝工艺首饰前往不同国家展览交流，真正使贵州大山深处的国家级非遗走出大山，走向国际。

2. 创新与科技利用

非遗新青年们能够熟练地把各种新兴技术和理念融入非遗中，而不是对传统非遗的简单复制粘贴，从而有效地解决非遗传承中的创新力度不够、产品吸引力差等问题。同时在推广非遗的路径选择上面，他们更倾向于利用短视频、大数据等各种网络平台进行宣传，让非遗的触角延伸到人们日常生活的每一个领域，因为我国网民年轻化程度高，利用网络发展非遗，可以让更多青年人接触非遗，购买非遗产品，是非遗新时代新发展的合理路径。例如，河北省国家级非遗柳编制作技艺青年传承人张万富将传统手艺带上“云端”。非遗传承人借助短视频宣传、网络直播带货等手段实现非遗价值的快速转换。

3. 社区参与和自主意识

非遗新青年不等于触网青年，在网络之外，也有许多青年深入到社区当中，去真正地了解非遗的困境，参与非遗志愿者活动，举办非遗论坛，学习非遗技艺，利用自身的特长与专业知识为非遗打造品牌 IP，举办线下展览等。非遗的发展是面向未来的，非遗新青年又具有很高的自主意识，追求个性化、独特性，为非遗打造合适又独具特色的品牌之路。例如，非遗策展人李媛媛深入非遗社区，充分挖掘非遗的“非物质性”，通过创造网红打卡地的方式进行展览，到社区公共空间、公共文化空间展览，联结非遗与民众，联结传统与现代。组织“传二代”聚在一起，尝试新方法、新技术、新材料，创作新产品，将他们打造成非遗代言人、品牌大使，与国际品牌深度合作，使非遗面貌焕然一新。

（二）非遗新青年的角色定位

当今非遗的传承与发展应当是面向青年，将“非遗”的未来发展与“新青年”挂钩，是非遗传承的必经之路，“非遗传承后继无人”“非遗不够时尚”“学习非遗技艺无法谋生”等声音在我们采访传承人时经常听到，所以当务之急就是要为非遗的发展注入青年的力量。什么样的青年具有这样的能力也是大众和政府关注的重点，因此对非遗新青年的角色进行分类与定位就显得尤为重要。非遗新青年应当包括并扮演非遗青年传承人、非遗青年创业者、非遗青年爱好者与非遗青年创建者等角色，共同促进非遗传承。

1. 非遗青年传承人

传承人与社区是共存与内生的关系。非遗青年代表性传承人是文化记忆与文化实践的承载者，而非遗的传承与实践本质上是群体性的，群体的选择受到所在社区的非遗的影响。因此，非遗新青年在对非遗进行传承创新的过程中要兼顾实地社区与虚拟社区的多方需求，发挥非遗的社会治理功能、文化教育功能、乡村振兴功能、共同体建设功能等功能。政府也应加大对非遗青年继承者实践的支持与保护。

在传统的非遗社区中，文化的继承发展大多是师徒传承、家族承袭。非遗新青年受师傅家庭的影响，终身从事相关职业，他们扮演的角色主要是对传统非遗项目进行传承与创新，开拓其发展路径。例如，上海非遗面塑“面人赵”第三代传承人张书嘉属于师徒传承，他在跟赵凤林学习面塑技艺、传承面塑的同时，大力推广宣传面塑文化，突破师徒传授的限制，以“非遗＋概念”的形式将传统手工和现代需求相结合，并探索出新的传承路径，如非遗面塑和创意故事、个人表达、民间艺术相结合等。她还尝试跨界合作，将非遗面塑与饰品、动画融合，创造出新的艺术形态。她将自身作为传播延续面塑文化的符号，曾代表中国出访法、德、美、俄、老挝等国家，与多个国家进行文化艺术交流。河南汝瓷烧制技艺市级代表性传承人李可明将汝瓷制作成冰箱贴的样式，等比例地复刻东方的古物、名器，丰富汝瓷烧制的形式与用途，实现了他追求的“传统精神，当代表达”。河北省国家级非遗柳编制作技艺传承人张万富凭借自己风趣幽默的直播效果与精湛的技艺吸引大批网友涌入其直播间，在向网友传播非遗与技艺的同时，又使自己的非遗产品实现数字增能。这些非遗青年继承者都借助互联网与现代生活不断创新非遗发展的新路径，在非遗的发展过程中扮演着重要的角色。

2. 非遗青年创业者

产业化是非遗的另一种表达方式。将非遗转化为产业品牌优势，利用非遗独特性以及活态性等特征，满足市场需求的同时，实现“非遗＋”“＋非遗”等各种非遗传承形式的转换，同时将非遗丰富的资源以市场化、产业化形式转化为文化资产，再结合其经济价值、文化价值促进非遗的可持续发展。非遗资源是创业中的重要资源手段，国家大力鼓励与支持创新创业和推动中华优秀传统文化的创造性转化和创新性发展，将传统工艺与现代科技相结合，发展“非遗＋文创”“非遗＋旅游”“非遗＋影视”等活动开展生产性保护，改变非遗传承的困境。创新创业是非遗生产性保护的基础，以创新创业带动非遗的传承与发展，正在成为非遗新青年中的一股潮流。

“90后”山西女孩张佳慧在上海工艺美术学院学习珠宝首饰工艺及鉴定专业后，开启了与非遗、文创的渊源，大一时她被学校展示的贵州手工拉丝工艺首饰吸引。之后，大学四年里她通过各种途径学习了这项非遗手艺的方方面面。同时，她也在思考如何让这项非遗走出大山，走向都市。毕业后她通过自身的努力创立了自己的首饰品牌“鱼你相依”。我国民族众多，幅员辽阔，信仰也就因地域、环境等有所差异，但“鱼”在我国的大部分地区都具有祝福的寓意，将祝福与非遗相结合，打造自己的IP品牌，张佳慧始终秉守幸福力、传承力、负责力的创新创业理念，开辟了非遗青年创新创业的新道路。再如，非遗青年创业者华小磊将非遗与影视融合，拍摄了数百位非遗传承人的纪录片，策划非遗电视剧，创建线下非遗空间。还有非遗策展人李媛媛，创立非遗经纪平台，联合青年非遗传承人，让非遗与现代生活融为一体，帮助非遗传承人建立品牌意识，把非遗中包含的文化、故事翻译给大众，形成非遗展览IP，使非遗的宣传与输出沉浸式化。由此可见，创新创业也是实现非遗创造性转化创新性发展的合理有效路径。

3. 非遗青年爱好者

随着社会的发展，人与人的互动通过媒介产生，非遗新青年们能够跨越地域的限制，打造“线上虚拟社区”，利用抖音、快手、微信、微博等网络平台，更加快捷地了解并且参与到非遗的保护和传承过程中，形成趣缘群体，人们在“线上虚拟社区”学习非遗技艺、分享非遗故事，相互吸引，将非遗作为彼此交流的媒介，不断挖掘各项非遗魅力，将自身打造成与非遗互融的符号与元素，并融入社区中。

年轻人对于非遗的参与是保护与传承的关键，因趣缘吸引而结群，并且重构非遗发展的非遗保护模式，有利于焕发传统非遗项目的现代活力，促使非遗在青年群体中长久保存。在“非遗＋互联网”的时代，非遗新青年接触非遗的途径丰富多样，直播间、短视频、非遗进校园活动以及大学非遗课堂的开设，使得非遗触网的触角延伸到青年人生活的每一个角落，非遗也借助这些途径与非遗青年爱好者的助力在新时代焕发新的生机与活力。例如，抖音博主“江寻千九月”作为非遗青年爱好者，热衷于传播优秀传统文化，拜师学习打铁花技艺，最终成为“千年来确山打铁花第一位女生”，使自己的爱好发挥更大的价值；中国美术学院手工艺术学院在读研究生陈奕池被竹编的精美制品吸引，向四川省青神县中国竹编艺术家张德明拜师学艺，随着学习的不断深入，借助互联网与网友分享自己的作品，提升青神县竹编的知名度。这些非遗青年爱好者借助科技时代的平台，加大非遗传播的广度与深度，给予非遗更多的生命力，成为青年文化自信的底色。

4. 非遗青年创建者

将非遗作为资源来进行活化利用，其代表的是一个社会转型的新的需求，甚至与社会转型中文化再生产方式的变革以及心态秩序和心态结构的重建紧密相关，因而非遗保护才受到如此的关注。[4]随着社会的发展，人们对非遗的文化需求也在不断提高，非遗保护也备受重视。在非遗传承发展的过程中，一直在强调转型，如何转型、转型的方向是非遗转型过程中遇到的关键问题，而社会需求就是非遗转型的方向。非遗青年创建者根据社会需求，利用非遗"活态"的重要特性，将自身和非遗打造成多元利益相关者，从事与非遗相关理论的学习与实践，将非遗的发展提升到更为广阔的层面。例如，四川省崇州市道明镇竹艺村东篱集竹编研学基地的青年人借助竹编将当地打造成乡村非遗旅游胜地，让游客学习竹编技艺，体验村寨自然风光，促进当地经济增长，真正实现非遗增能；河北省唐山市市级非遗蜡染技艺传承人李萨把一系列蜡染公益体验课程开到了在学校、社区、养老院等地，充分发挥非遗新青年在新时代对非遗的创新与延续作用。同时高校也在非遗青年创建者的培育中发挥了不可替代的作用。2015 年，在《教育部关于公布 2015 年度普通高等学校本科专业备案和审批结果的通知》中，首都师范大学在历史学类专业目录下增设"文化遗产"专业。[5]2020 年，在普通高等学校本科专业目录中，"艺术学理论专业类"下增加"非物质文化遗产保护"专业。2021 年 8 月，中共中央办公厅国务院办公厅下发《关于进一步加强非物质文化遗产保护工作的意见》，明确提出要出版非物质文化遗产通识教育读本。这些政策都为非遗生生不息地发展提供了保障。[6]

非遗新青年正将自身角色多元化，不断从非遗中提炼精华，加大文化动能，促进非遗创造性转化和创新性发展。但在转化与发展的过程中，要保持那些能够为社区、群体和个人提供认同感和持续感的核心要素，非遗新青年们也应在坚守非遗的本真性与活态性之间找到平衡点，促进非遗良性发展，以使非遗真正获得生命的延续。

二、非遗新青年促进非遗增能

2024 年，国家发展改革委等部门关于修订印发《文化保护传承利用工程实施方案》的通知提出，要发挥中华民族文化的影响力和感召力，对经济社会发挥充分的促进作用。[7]当下，百年未有之大变局为非遗新青年提供了无限多的可能性，而文化的多样性可表现为众多的可能性。我国的优秀传统文化资源丰富，这在加强非遗新青年文化自信与文化认同感的同时，也为非遗的传承与发展指明了道路与方向。非遗新青年也要顺应时代要求，既要守住延续优秀传统文化的根脉，也要促进非遗在数字和文化方面的增能。

1. 数字增能

非遗资源相关的服务流动是非遗资源创造性转化为文化资本的必要条件，服务的流动继而形成文化资本的积累，再使文化资本转化为经济资本。将非遗的文化价值优势转化为数字优势，也是非遗在新时代发展的重点问题。随着非遗新青年与非遗的连接越来越紧密，青年一代在融入以及保护非遗的过程中持续发声，连接程度也在不断加深，非遗的内容与传承形式也发生新的变化。例如，四川成都的新繁棕编传承人刘俊英结合网络热点，对非遗"新繁棕编"形式进行创新，产品有颇具潮流感的神龙、熊猫、松鼠、猫头鹰、小青蛙、小猫、小狗等栩栩如生的动物，用棕榈叶"编"出新的"非遗网红"；再如，甘肃兰州的自媒体博主"缩云舒"将非遗缠花技艺和美食、高铁等元素相结合，制作缠花版的"螺蛳粉""红烧肉""火锅""AD 钙奶"等配色的动车等，收获大量网友喜爱与点赞。这些新青年借助网络平台，在发挥自己爱好的同时也将非遗以新颖独特又贴合民众生活的方式带入大众视野。

在自媒体兴起后，个体行动者亦摆脱地域与权力网络的桎梏，在虚拟世界中表达着他们对遗产保护的参与。[8]对非遗的数字化保护与发展有利于保存人类的文化记忆，当今信息技术的更新换代，为非遗的保护提供新的路径，非遗与大数据相结合，增加非遗的数字价值。例如，各大网络平台推出"非遗带头人计划"与"非遗合伙人计划"，这些数字机构为非遗的发展创设"数字化非遗社区”，非遗新青年在数字化非遗社区中不断重构自身角色，从非遗产品的购买者到非遗的爱好者再到传承者、社区守护者，非遗新青年的身份多元化转化也为非遗的数字化提供更多机遇。同时，非遗新青年也借助数字化社区转化非遗的生存空间，在数字化社区中开设非遗空中课堂、非遗技艺传承，扩大非遗的空间建构，在传播非遗的同时，获得自我价值提升，提升非遗的经济价值，不断促进非遗数字增能。

2. 文化增能

非遗是密切人与人之间的关系以及他们之间进行交流和了解的要素，其内容包括被各社区、群体、个人视为其文化遗产组成部分的各种社会实践，以及概念表述、表现形式、知识、技能以及相关的工具、实物、手工艺品和文化场所，这种非遗世代相传，为社区和群体提供认同感和持续感，从而增强文化多样性和人类的创造力。[9]近年来，非遗背后的“包含着传承人和受众的非常浓厚的情感内涵和价值判断”受到学界的关注，非遗概念本身也强调对相关文化价值的认同。非遗比物质文化遗产也更容易在流动的空间中加强文化认同与自我认同。非遗新青年作为非遗的承载者与传播者，在非遗的空间流动中扮演着多重角色。

非遗新青年是非遗保护事业的重要力量。非遗作为优秀传统文化，具有活态性、多样性、传承性、娱乐性等特征，其借助自媒体手段在各大平台传播，自发地从专业领域走向大众视域，成为各媒体平台重要文化资源，特别是传统戏剧、传统手工艺和中医等非遗项目，频频在短视频平台火出圈，获得大量青年人的喜爱。随着短视频和直播的发展，青年人接触非遗的途径不断丰富，了解程度也日益加深，非遗新青年也借助这些途径将非遗与产品带入人们的生活中，形成良性的循环互动。例如，非遗策展人李媛媛打造中国立春文化展示和体验中心，把科技与立春时节尝春糕拜春神的习俗融合在一个展馆当中，让民众沉浸式感受二十四节气；“95 后”面塑非遗传承人郎佳子彧结合经典动漫《灌篮高手》中的人物形象，用面塑的形式还原其中的人物；山西大学举行晋剧艺术文化与特殊教育传习融合课堂，还将晋剧表演与学习带进课堂，近距离地展示晋剧的服饰、造型、功法等，使同学们能切身感受晋剧非遗的魅力，提升传统戏剧非遗的体验感，拓宽了非遗的观众年龄范围。这些活动都生动地展现了非遗的活态性与极强的适应性，非遗也在传播与交流的过程中得以丰富，实现了文化增能。

三、非遗新青年的价值取向

非遗保护除了国际公约以及国家政策方面的整体保护以外，也离不开非遗新青年的努力，尤其是非遗社区的努力，非遗的发展离不开孕育它的土壤，将非遗剥离其存在的文化环境，就不能最大限度地发挥非遗在当今时代中的作用，也不利于非遗的传承与发展，因此，非遗新青年的价值取向尤为重要。在新时代的背景下，非遗新青年应该在国家政策与大遗产观下，坚持活态保护而非冻结与非遗可持续发展的价值取向。

1. 保护而非冻结——非遗新青年的传承理念

非遗的保护是第一位的，对非遗要坚持保护而非冻结理念。非冻结指的是非遗新青年结合新兴科技手段、非遗社区现状，以及抓住全球化的机遇与挑战，积极推动非遗的国际传播，为非遗赋新生、增赋能。许多地名、街区也具有浓厚的文化底蕴，第九届联合国地名标准化大会就确定地名属于非遗。传承文化与历史传统，例如，广东韩江三角洲的潮州方言区以“厝”命名的地名颇多，而“厝”字地名又主要分布在多石的闽南丘陵地区，至今当地还多以石筑屋，反映当代以石筑物的风俗。可见地名本身就承载许多民风民俗。这样独特的社区环境与政策相结合能够共同促进非遗的保护与发展。

对非遗的保护要实现五个范式的转化，即从遗址到过程、从静态到动态、从实物到价值、从文物到人群、从专家到社区，避免非遗的民俗化、博物馆化与剧场化。令人遗憾的是，许多非遗的保护最终走向了“物”，这是对非遗保护方向与目的、意义认识不够透彻地表现。非遗是具有活态性的，单纯地保留非遗产品或者技艺无法使非遗永续发展下去。“以社区为中心”是非遗保护发展中的一个重要原则与方法，社区中的非遗新青年身负重任，既要做到对非遗的保护传承以及创新，更要做到在传统语境中对非遗加以保护。除了社区内的非遗青年继承者们担负重任，由于互联网的超强链接性而形成的网络虚拟社区中的非遗爱好者、创造者等都在为非遗的发展贡献自己力量的同时，也要坚持保护而非冻结的原则。“非冻结”也反映当今时代对非遗新青年提出的要求，非遗传续至今，青年的力量是至关重要的，非遗新青年要利用现有技术与平台促使非遗活态传承下去，使非遗深度触网。

2. 可持续发展—非遗新青年的发展理念

非遗可持续发展是必然要求，要将非遗纳入可持续发展的主流政策，体现非遗传承的同时，更要挖掘非遗在当下是如何助力人类可持续发展的。例如，第 13 届联合国教育、科学及文化组织保护非物质文化遗产政府间委员会通过审议，将中国申报的“藏医药浴法—中国藏族有关生命健康和疾病防治的知识与实践”列入联合国教育、科学及文化组织人类非遗代表作名录。藏医药浴法将自然力量与人民的生活经验结合，促进不同民族关于生命健康和尊重自然的对话，体现自然的力量如何助力当下人类的发展，这样的非遗项目是人与自然可持续发展的典范。同时我国倡导“三大全球倡议”，非遗也为全球文明发展提供丰富的对话资源。例如，我国和马来西亚共同申报“送王船”非遗项目，见证人与海洋的可持续发展。“二十四节气”更是体现人与环境的可持续发展。这些例子都是当今非遗发展的方向，也是非遗新青年应持有的价值取向与行动指南。在接触学习非遗的过程中，应当将可持续发展贯穿始终，从不同的角度思考非遗当下的价值，单纯的传承已不适用于今天非遗的发展。当今的非遗新青年应当促进我国非遗的可持续发展，为非遗发展创造争取更多的机会，积极参与国际对话，把握国际政策。

四、结语

非遗作为中华优秀传统文化的精华，是我国赓续长存的根基与命脉，加强非遗保护传承，是每位非遗新青年义不容辞的责任与义务。非遗新青年由非遗“旁观者”转向为“追潮人”，再发展为“守护者”，部分成为真正的“责任人”，非遗正在与非遗新青年进行新的融合与交流。在我国政策扶持与新青年的共同努力下，非遗的前景必定是光明的，但在具体传承创新的过程中，也不可忽视传承人才缺失、创新力度不够、不能充分将非遗与现代技术深入结合等现实存在的问题。我国非遗项目种类繁多，因此对于国际非遗申报条件与规定要有深刻的把握与理解。当今国际，不仅有政治经济的对话，文化的对话也尤为重要，而非遗就为我国与其他国家提供良好的对话机会。

可持续发展一直是我国倡导的主题，非遗要想长足发展，就要将这一主题贯穿始终，要使非遗与人、自然和谐共存，在传统社区语境中对非遗加以保护，充分发挥非遗的增能功能，拉动社区经济增长，带动乡村振兴，同时社区也要不断培养非遗新青年，在社区振兴非遗。

参考文献

[1] 文化和旅游部教育部科技部工业和信息化部国家民委财政部人力资源社会保障部商务部知识产权局乡村振兴局关于推动传统工艺高质量传承发展的通知[J]. 中华人民共和国国务院公报，2022(21)：42.

[2] 蒋肖斌 . 非遗年轻化的“两会声音”越来越响[N]. 中国青年报，2023-03-08.

[3] 权玺 . 和而不同 异而相融：增能理论视域下非遗新青年的数字行动逻辑与价值共创体系[J]. 云南民族大学学报 .2024(2)：52.

[4] 方李莉 . 论“遗产资源”活化的价值与意义[J]. 中国非遗，2024(1)：99.

[5] 教育部关于公布 2015 年度普通高等学校本科专业备案和审批结果的通知[J]. 中华人民共和国教育部公报 .2016(5)：40.

[6] 潘鲁生 . 非物质文化遗产保护发展是个系统工程——解读《关于进一步加强非物质文化遗产保护工作的意见》[J]. 非遗传承研究，2022(1)：7.

[7] 国家发展改革委、中央宣传部、住房城乡建设部、文化和旅游部、广电总局、国家林草局、国家文物局 . 文化保护传承利用工程实施方案 . 发改社会[2024]374 号 .2024.3.22[EB/OL]. 中国政府网 . www.gov.cn.

[8] 张青仁 . 活态遗产：墨西哥学界非遗保护的知识贡献[J]. 西北民族研究，2024(1)：10.

[9] 爱川纪子，高舒 . 联合国教育、科学及文化组织《保护非物质文化遗产公约》的成型——一场关于“社区参与”的叙事与观察（下）[J]. 中国非物质文化遗产，2020(2)：13—19.

官方非遗传播的“沉下去”与“活起来”

——以四川省非遗保护中心官方抖音号为例

所揽月　程柏冰

摘　要： 传播是非遗保护的重要环节和重要举措。各省级非遗保护中心作为地方非遗保护工作的主要阵地，在短视频传播迅速崛起的时代背景下，也纷纷创建短视频账号。文章采用内容分析法，在对官方抖音账号“四川非遗”进行个案研究后发现，虽然以短视频为载体的官方非遗传播尚有不足，但提供了交流互动的平台，有效促进非遗传播“沉下去”；官方账号的入驻也对非遗短视频的大众生产发挥了激励作用，有利于非遗内容生产和实践的平等化和共创化，进而促进非遗传播的“活起来”。

关键词： 非遗传播；非遗保护中心；官方抖音号；传播效果

传播是非遗保护的重要环节，无论是促进非遗在当代和未来更好地发挥人际交流要素的作用，还是提高人们对非遗及其保护意义的认识，非遗保护都和传播密不可分。[1]近年来，以短视频平台为代表的数字媒体发展迅猛，各省非遗保护中心也纷纷创建短视频账号，欲提高地区非遗相关内容的传播力度。短视频一方面能够满足受众移动化、可视化、碎片化搜索和获取非遗信息的需求，提供非遗信息分享与交流平台[2]，另一方面也是非遗产品线上推介、进行生产性保护的实践平台，有助于非遗“自我造血”与传承。

前人有关非遗短视频的研究，多聚焦于内容生产、传播策略以及短视频对非遗传播传承的作用机制研究，大多在创作手法和内容上提出建议，针对传播主体（尤其是对官方传播主体）及其传播效果的讨论还较少。因此，本研究聚焦省级非遗保护中心这一传播主体，以四川省非遗保护中心官方抖音号“四川非遗”为例，从内容设置、内容来源、受众反馈三方面进行分析，为其他官方账号提供参考。

一、个案选择

各省级非遗保护中心承担着非遗保护相关的宣传、展览和理论研究等工作，是地方非遗保护的重要阵地。截至2024年7月，已有18个省级非遗保护中心创建了官方抖音账号，占我国省级非遗保护中心数量的半数；但账号之间建设情况并不均衡，传播成效悬殊（详见表1）。其中，“四川非遗”账号自2019年建立以来，共发布937条短视频内容，平均每月发布15条短视频；截至2024年7月，已累计约59.4万的粉丝量和1658万的获赞量，居所有的省级非遗保护中心抖音账号传播效果数据排名之首。因此，本研究以“四川非遗”账号为个案进行细化研究。

二、个案分析

在内容方面，“四川非遗”账号中的短视频多为表演类、技艺类非遗，且内容具有贴近性和时效性；同时，从该账号的“转赞评”数据来看，受众也更偏爱表演类和技艺类的短视频；在来源方面，该账号积极搭建省内非遗信息平台，其转载账号不仅有省内各市、县融媒体中心，还有地方具有影响力的非遗传承人和文化名人。

作者简介： 所揽月，北京师范大学社会学院非遗专业硕士研究生；程柏冰，英国伦敦政治经济学院媒体与传播专业硕士研究生。

表 1 各省级非遗保护中心账号情况（统计时间 2024 年 7 月）

账号名称	获赞	粉丝量	作品数	作品平均获赞
四川非遗	1658000	594000	937	17694.77
浙江非遗	3190000	174000	633	5039.49
海南非遗	565000	194000	118	4788.14
河南非遗	32000	16000	1089	295.68
重庆非遗·武陵山渝东南文化生态保护	141000	15000	502	280.88
广东非遗	138000	16000	109	1266.06
河北非遗	97000	15000	140	692.86
山东非遗	97000	5597	360	269.44
陕西非遗传承	80000	19000	140	571.43
云南非遗	49000	5688	387	126.61
山西非遗	42000	18000	235	178.72
湖南非遗	32000	4987	637	50.24
天津市非物质文化遗产保护中心	18000	2404	106	169.81
内蒙古非遗	13000	2600	112	116.07
辽宁非遗	2975	1428	57	52.19
江西非遗	2788	600	112	24.89
安徽非遗	879	361	105	8.37
福建非遗	166	83	10	16.60

（一）短视频内容分析

爬取“四川非遗”账号 937 条短视频标题内容并进行词频分析，获得该账号的内容设置偏好。

1. 表演类、技艺类非遗较多

“川剧”“峨眉派”“蜀绣”“竹编”等内容在短视频标题上的频次较高，表明“四川非遗”账号注重对传统戏剧类、传统技艺类以及传统体育、游艺与杂技类等内容进行传播。同时“四川非遗”也积极推广各类非遗线上活动，如“非遗节购物节”，并且积极响应抖音举办的各类非遗传播活动，如“非遗过年 dou 来播”“非遗上抖音”等。

2. 具有贴近性、时效性

在“四川非遗”账号的短视频内容中，所有的内容均来自四川省内的非遗。其一，“四川非遗”将视野聚焦到四川省内，如利用知名度较高的熊猫、巴蜀美食对四川非遗进行推介。将省内的非遗内容做全、做精，充分体现省级非遗保护中心的定位和职责。其二，每逢七夕、中秋等传统节日，或父亲节、儿童节等现代节日，“四川非遗”账号会转载相应的内容，以呼应节日气氛。如适逢父亲节，“四川非遗”账号发布短视频，讲述毕六福毕原绅父子齐心，将濒临失传的油纸伞制作技艺重获新生。在儿童节，“四川非遗”账号发布多种非遗项目的混剪视频，如“快乐美好童年，是一生难忘的宝藏。愿小朋友们在#四川非遗中感受传统文化，快乐成长#六一儿童节”。此外，在“双十一”购物节、七夕等节日，“四川非遗”账号也为省内老字号、非遗工坊以及相关企业引流。但是整体来看“四川非遗”账号所发布的内容多为转载，少有非遗保护中心的原创内容，在原创性方面较为欠缺。

（二）短视频来源分析

转载内容在“四川非遗”账号视频中共有 255 条，占比 27%，是该账号内容的重要构成部分，也是该账号获赞量、评论量的重要来源。因此，分析“四川非遗”账号转载视频的来源具有必要性。本研究提取“四川非遗”短视频标题中的“@”符号，得到“四川非遗”短视频内容的转载来源。

1. 链接各地：做地方非遗的传播枢纽

“四川非遗”作为省级非遗保护中心的官方账号，串联起省内各市、县的非遗项目，成为地方非遗的传播枢纽。“成都非遗”“自贡文旅”“茂县融媒”“南充文旅”等地方融媒体中心账号是“四川非遗”的重要转载源。相较于市、县级账号，省级账号的受众定位更加广泛。由此，各市、县的非遗内容都可以依托省级非遗保护中心平台发布，进一步提高传播效果。

2. 链接非遗：推广当地非遗垂直内容博主

随着非遗保护成为时下的热议话题，越来越多的非遗代表性传承人走入人们的视野。诸多非遗代表性传承人开设了短视频账号，深耕于垂直的非遗内容。在“四川非遗”账号的转载来源中，不乏在细分领域有一定影响力的非遗代表性传承人，如“@凌云”“@川剧男孩华华”“@川剧演员吴菁菁”“@青城掌门刘媛滨”等。其中，“@凌云”是“四川非遗”账号的最大转载源，共转载52次。作为峨眉武术市级代表性传承人，“@凌云”在抖音平台上拥有超过1000万的粉丝。官方账号对其内容进行转载，一方面可以弥补官方账号较难将细分领域内容做精的短板，另一方面非遗代表性传承人生产的优质内容和粉丝基础也能在一定程度上保证官方账号的传播效果。对非遗代表性传承人而言，“四川非遗”账号面向的是省内外对四川非遗相关内容感兴趣的群体，官方账号的转发也能帮助非遗代表性传承人扩展短视频受众范围，提高自身影响力。

3. 链接名人：巧借热度助力非遗传播

网络名人在互联网语境下具有极高的知名度和讨论度，其助力能为非遗短视频的传播增加热度。2020年11月，藏族小伙丁真因为一脸纯真朴素的笑容意外走红网络，而后成为四川省理塘县的文化旅游大使。“四川非遗”账号就曾多次转载“@理塘丁真”的视频，且在视频标题中多次提及“丁真”。除此之外，美食短视频创作者“@李子柒”及明星“@刘德华”都是“四川非遗”账号的转载对象。

（三）受众反馈：更偏爱表演类、技艺类的短视频

从账号内容设置到短视频来源分析，非遗短视频的传播效果仍需要从受众角度探讨方能得到辅证。本研究先对“四川非遗”短视频的“转赞评”数据进行收集，再进一步分析其对应的非遗项目和门类（采用了国家级非遗代表性项目名录中的分类方式），最终获取了点赞、收藏、评论这三类传播数据位居前列的非遗项目（详见表2）。

表2　传播数据位居前列的非遗项目及其门类

	点赞前二十		收藏前二十		评论前二十	
次序	项目名称	所属门类	项目名称	所属门类	项目名称	所属门类
1	川剧	传统戏剧	彝族漆器髹饰技艺	传统技艺	彝族漆器髹饰技艺	传统技艺
2	彝族漆器髹饰技艺	传统技艺	川剧	传统戏剧	川剧	传统戏剧
3	川剧	传统戏剧	川剧	传统戏剧	川剧	传统戏剧
4	川剧	传统戏剧	川剧	传统戏剧	混剪	其他
5	川剧	传统戏剧	彝族服饰	民俗	峨眉武术	传统体育、游艺与杂技
6	川剧	传统戏剧	川剧	传统戏剧	彝族年	民俗
7	峨眉武术	传统体育、游艺与杂技	峨眉武术	传统体育、游艺与杂技	彝族服饰	民俗
8	川剧	传统戏剧	峨眉武术	传统体育、游艺与杂技	川剧	传统戏剧
9	彝族服饰	民俗	川剧	传统戏剧	川渝耙耳朵（川渝文化）	其他
10	混剪	其他	混剪	其他	川剧	传统戏剧
11	川剧	传统戏剧	川剧	传统戏剧	川剧	传统戏剧
12	彝族年	民俗	彝族年	民俗	川剧	传统戏剧
13	川剧	传统戏剧	川剧	传统戏剧	竹编	传统技艺

续表

次序	点赞前二十		收藏前二十		评论前二十	
	项目名称	所属门类	项目名称	所属门类	项目名称	所属门类
14	峨眉武术	传统体育、游艺与杂技	川剧	传统戏剧	川剧	传统戏剧
15	川剧	传统戏剧	混剪	其他	川剧	传统戏剧
16	川剧	传统戏剧	川剧	传统戏剧	川剧	传统戏剧
17	川剧	传统戏剧	峨眉武术	传统体育、游艺与杂技	川剧	传统戏剧
18	混剪	其他	峨眉武术	传统体育、游艺与杂技	峨眉武术	传统体育、游艺与杂技
19	竹编	传统技艺	峨眉武术	传统体育、游艺与杂技	峨眉武术	传统体育、游艺与杂技
20	川剧	传统戏剧	川剧	传统戏剧	峨眉武术	传统体育、游艺与杂技

由表2可知，川剧、峨眉武术、彝族漆器髹饰技艺、彝族服饰、彝族年等非遗项目始终位居获赞、评论及收藏前二十的榜单中，其中，川剧的传播效果最好。说明受众对传统戏剧类、传统技艺类、传统体育、游艺与杂技类及民俗类非遗短视频有浓厚的兴趣。而由前文可知，“四川非遗”账号中的短视频也多为“川剧”“峨眉派”“竹编”等表演类和技艺类非遗。账号的内容设置和受众的反馈数据形成了相互对应，这也反映出受众的兴趣偏好对该账号短视频的内容发布产生了显著影响。此外，相较于其他门类的非遗，传统戏剧、传统技艺、传统体育、游艺与杂技及民俗类的非遗具有极高的观赏性，因此这些门类的非遗项目也就更适应短视频的制作和传播规律。“四川非遗”账号发布这些门类的非遗短视频，也就更容易获得受众的正向反馈。

三、案例研究

“四川非遗”账号的建设和传播特征能够为其他非遗保护中心账号提供诸多经验参考，有助于促进更高效、高质地非遗传播，但其也反映出原创内容不足等问题。

1. 适应短视频平台特点，提供可看性较高的非遗内容

小屏幕影视依赖于多种策略，如偏好类型融合、强调简洁、趣味性以及开放式和碎片化的模式。[3]“四川非遗”账号立足于各非遗门类的特点，利用具有较强表演性和互动性的内容，较好地适应了短视频平台的传播特点。以峨眉武术、川剧（变脸、藏刀、钻火圈等表演）为代表的传统戏剧和传统体育、游艺与杂技，技术复杂、动作变化多样，这些“绝技”通过简单的剧情包装和特效剪辑，容易迅速吸引受众的注意力。以竹编、彝族漆器髹饰技艺为代表的传统技艺、传统美术则以精湛的技艺、严密的工序、持续专注的创作以及独特的风格和地方特色，带给受众美的视觉享受和治愈心灵的体验。此外，受众可以通过线上线下各种渠道购买到这些手工艺品，在一定程度上也增强了与受众的互动性。

然而，从门类上看，非遗的短视频传播呈现出传统手工艺类和传统表演类一枝独秀的局面。短视频内容同质化、模式化的状态，反映出不同门类非遗项目存在宣传不均衡的问题。[4]此外，也存在传播深度不够的问题。正如联合国教育、科学及文化组织实施《保护非物质文化遗产公约》的业务指南（2022年版）第四章“传播和媒体”部分所指出的，非遗传播不应只注重其美学或娱乐方面，还应鼓励媒体提高对非遗作为培育社会凝聚力、可持续发展和预防冲突手段重要性的认识。[5]短期而言，非遗保护中心从易于进行短视频创作的非遗门类入手，快速“吸粉”“涨粉”，这固然是一种成功且易模仿的账号运营策略。但从长远来看，还应考虑如何以短视频的方式表现其他门类的非遗（如民间文学、民俗等门类），积极尝试纪录片式的中长视频，以“长短结合”的方式，更

全面地呈现丰富鲜活的非遗。因此，在抖音等“小屏”平台上，如何在短视频的“轻量级”和非遗的“丰富性”之间进行平衡，还有待进一步探索。

2. 账号定位明确，但缺乏原创内容

“四川非遗”自身账号定位明确，紧扣四川省非遗资源特点，不断向受众推送具有地方特色的非遗内容。其一，“四川非遗”账号发布的短视频内容均为省内非遗项目或与省内非遗有密切关系的内容。同时，积极宣传本省非遗品牌活动，如国家级国际性文化节会活动品牌——“成都国际非物质文化遗产节”等。其二，该账号善于借助节日热度，及时发布与节日内涵契合的非遗短视频。其三，该账号巧借本省具有影响力的人物引流，提高传播效果，如丁真、李子柒为“成都国际非物质文化遗产节”拍摄宣传片。

但是“四川非遗”账号的转载视频占比较大，缺乏原创内容，不利于建立完整立体的账号形象。虽然非遗保护中心的官方权威性能为其账号带来一定的内容生产及受众优势，但由于原创内容较少，转载内容杂乱，尚未形成较为统一的风格。相较于非遗 MCN 短视频账号，“四川非遗”账号的互动量仍然较弱，在信息飞沫化的短视频平台，难以与受众形成较强黏度的互动关系。未来，“四川非遗”账号可以尝试开设成系列的原创视频，在信息权威性和传播亲民性的结合上做进一步的探索。

3. 搭建地方非遗内容传播枢纽，促进非遗传播“活起来”

“四川非遗”作为四川省非遗保护中心官方抖音号，积极发挥地方非遗内容传播枢纽的作用，聚合省内各门类的非遗内容，对质量较高的内容进行筛选，助力其传播。此外，“四川非遗”账号转载内容时，在标题中会注明转载来源，积极推广省内非遗代表性传承人及其短视频账号。如账号“凌云”（非遗峨眉武术代表性传承人）、账号“青城掌门刘绥滨”（青城武术代表性传承人）等。而此类带有非遗代表性传承人身份标签的内容，也更易建立起身份符号，给受众留下深刻印象。因此，受众对此类短视频整体反馈较为积极，传播效果较好。

但相较于非遗 MCN 短视频账号，非遗保护中心官方账号的互动还是较少，未来除了标题注明转载来源以外，也可以积极开拓评论区留言等多种方式与受众、非遗代表性传承人进行互动。更重要的是，非遗源自民众世代相传的生产和生活实践，日常生活是滋养其蓬勃发展的沃土，民众社群是其自始至终的践行者。[6]坚持民众在场，坚持以社区为中心，才是推动非遗传播“活起来”的根本。

四、结语

尽管非遗保护中心以短视频为载体的非遗数字传播尚有不足，但总体而言，非遗保护中心入驻短视频平台，改变了以往官方非遗内容生产的严肃性和绝对权威性，为大众提供了自由交流的平台，有效促进了非遗传播“沉下去”。数字媒体实时在线和信息交互的特征使不同主体跨时空交流成为可能，促进了非遗信息的共享，进而促进了非遗传播的“活起来”。官方账号的非遗短视频创作也对大众非遗内容生产发挥一定的激励作用，有利于非遗内容生产和实践的平等化和共创化。相信在非遗保护中心的引领下，非遗的视频化、数字化将不断拉近非遗与大众的距离，提高非遗的可见度，更加契合“见人、见物、见生活”的非遗保护理念。

参考文献

［1］杨红．目的·方式·方向——中国非遗保护的当代传播实践［J］．文化遗产，2019（6）：21—26.

［2］薛可，龙靖宜．促进非物质文化遗产广泛传播——对《关于进一步加强非物质文化遗产保护工作的意见》第十四条的解读［J］．中国非物质文化遗产，2021（6）：13—17.

［3］Voci, P. China on Video: Smaller-Screen Realities（1st ed.）［J］. *Routledge*, 2010（5）：288.

［4］林加．传播与传承：非物质文化遗产短视频的创新发展路径［J］．中国编辑，2023（5）：98—103.

［5］中国非物质文化遗产网．联合国教育、科学及文化组织实施《保护非物质文化遗产公约》的业务指南（2022 年修订版）［EB/OL］. https://www.ihchina.cn/zhengce_details/27534.

［6］萧放，席辉．非物质文化遗产文化空间的基本特征与保护原则［J］．文化遗产，2022（1）：9—16.

“谣言”与“童话”：网络社会下民间故事类非遗的新形态

卢 翀

摘　要： 现代网络社会对民间故事造成的改变主要集中在打破了由民俗构成的观念空间视域。这种改变使得传统民间故事为了适应现代网络社会的传播工具，不得不改变原来的传统形态，以一种更适应当下环境的形态继续发展生产。其中的代表就包括网络谣言与新的童话故事。对于这些活跃在网络空间的新形态民间故事，需要以新的视角去理解与分析才能厘清网络社会中民间故事的生产与发展现状，进而更好地在新的社会环境中发展与保护民间故事类非遗。

关键词： 民间故事类非遗；网络谣言；新的童话故事；新形态

传统民间文学的生产是在固定的时空下进行的一场展演活动，讲述者与听众共同参与，生产与传播是同时进行的。这种滋养民间文学的面对面群体交互的场所，即民间文学的民俗场，在日新月异的当下社会已经逐渐消亡，其中尤以民间故事类最为明显。民间故事相比于史诗、宝卷的仪式性功能与传说的地方标识的建构功能，故事类的民间文学是与人民群众的日常生活结合最为紧密的，又或者说传统的民间故事就是人民群众生活的一部分，在漫长的时间中，它承担了相当一部分的日常娱乐功能。民间故事书的使命是使农民在繁重的劳动之后，晚上疲惫不堪回家的时候，娱乐他，恢复他的精神，使他忘掉沉重的劳动，把他那贫瘠沙砾的田地变为芬芳的花园。[1]在娱乐的过程中，故事中所包含的地方性知识会不断地传输进听众的脑海里，建构起当地生活群体的行为准则与规范，是寓教于乐的代表之一。但正是这种与日常生活的密不可分，成为民间故事类非遗在当下生产性保护的非遗举措中举步维艰的原因。

一、网络社会下民间故事类非遗面临的问题

民间故事的民俗场相比于山歌、宝卷、史诗等仪式性较强的民间文学类型，对固定时空属性要求较低，但还是需要基本的面对面的时空，例如传统说书艺人活动的茶馆、村镇市坊的广场等人群聚集地，这是其民间文学的本质所决定的。“民间文学的讲唱活动是在约定俗成的场合进行的。这种场合有的有固定的时间和空间，如庙会、歌会等；有的没有固定的时间和空间，如劳动场合、婚礼、丧礼中的讲唱。我们可以将这种场合称之为民俗场。任何活态的民间文学作品传承都离不开民俗场，传承人的养育也离不开民俗场。”[2]但是现代生活方式的改变，尤其是网络时代到来之后，这种最低要求的民俗场正逐渐消失。传统民俗场的消失对于民间故事来说是致命的，失去民俗场就意味着民间故事不断更新创作的过程停止了，民间故事开始逐渐走向历史化。

仪式、集会类的民俗场诸如各种庙会、民俗集会等，在近年来国家大力推动非遗保护传承的环境下逐渐重新热闹起来，以此为民俗场的民间文学类型似乎看到重新焕发新生的希望，但民间故事并不在此之列。民间故事所需要的民俗场就是民众的日常生活，但日常生活中娱乐场景构成的民俗场已经被科技与城市化带来的新型社会生活方式更替。当下，大多数民众的日常生活已经演变为围绕着手机和电脑这大小两块屏幕来展开。因此，民间故事需要在网络社会环境下的新型生活娱乐方式中找到民俗场才能真正地重新恢复生机。为实现这个目标，在其过程之中面临两个待商榷的关键问题：现代网络社会对民间故事产生怎样的影响？民间故事在适应现代网络社会中产生哪些变化？

作者简介： 卢翀，广西师范大学文学院博士研究生。

1. 网络社会中的民间故事特性

关于第一个问题，我们可以尝试从民间文学的四个特性入手来进行简单的分析，即口头性、集体性、变异性、传承性。民间文学的口头性有两层含义，第一层是指字面意义的口语创作、展演与传播，第二层含义指的是民众叙述的权力，即民众拥有区别于官方的语言叙述权力。因此，很多民间文学虽然被用文字记录下来进行传播，它们同样是民间文学，因为它们是来自民间的，叙述的方式是非精英化的，是脱胎于日常生活与劳作的。从这一点来看，民间故事在现代社会是没有发生变化的，因为口头性所代表的民众叙述的权力是永恒的，这种有别于官方化、精英化的叙述方式是时刻存在于生活日常中的，网络信息交互的高度自由化正是这种民众叙述权力最好的温床。

“民间文学的集体性有两个含义：一指的是任何民间文学行为都是由一个特定的群体共同完成的；二指的是任何民间文学都为一个特定的群体所共有。”[3]69 民间文学的口头性使得它的展演方式必须具有一种特殊的展演创作一体性，这导致民间文学也必须具有集体性。网络传媒自诞生之初就是双向度的传播与交互，本身就是作为信息交互技术而诞生的。尽管受技术发展的限制，在诞生之初这种交互只能以符号的形式进行，但随着技术不断发展，如今音像交互已经不再是问题了，这更贴近民间故事适宜的传播方式。因为传播渠道与方式的广阔性，深入民众日常生活的方方面面，网络从口头性与集体性两方面来看对民间故事的改变并不是一件坏事，甚至说因为网络空间空前的广泛性，它甚至是有利的，而导致民间文学生产生的民俗场消失的真正原因是现代化技术彻底改变了现代生活，从而破坏了传统民间故事的传承性与变异性。

民间文学的变异性来自口头性与集体性所决定的特有的展演创作一体的方式，这种在传播过程中由每一位传播者参与其中并自觉再创作的过程，决定了民间文学是一个不停改变与更新的文学形式，停止展演也就是停止了其生命力。而之所以能够反复在民众中展演，是因为民间文学在漫长的历史中就是民众传递知识的方式，是广大民众习得与接受地方性知识的来源。在漫长的农业传统社会里，民间故事中母题所包含的知识就是一个人一生所需要的大部分知识。这种现象是由古代社会空间观念的封闭性导致的，而科技发展击碎的正是这种封闭的空间结构。

2. 观念视域的解体

本文所讨论的传统民间故事传承所依赖的封闭空间结构，并非真正意义上的封闭，而是一种观念上的封闭。传统农业社会人口流动较少，流动的人口与信息根本无法带来对空间结构的改变，或者说改变得异常缓慢，这是因为这种封闭结构是由方言、习俗、民间文学构成的一种观念上的封闭。[4]99 这种观念封闭结构的核心功能是内外两方面的。首先，对外而言，观念上的封闭结构是一种转述工具。因为在前技术时代中，观念上的空间视域封闭带来的远方世界并不是无法到达，而是无法以本地日常生活经验来理解。因此前技术时代，对于外来世界的描述都会由民间故事、传说，甚至是某些民间信仰来完成。也就是说，外来世界的信息必须经由这套观念封闭结构转述才能融入当地的日常生活进而被民众理解。其次，对内而言，这种观念封闭结构是地方性知识与习俗稳定的传承工具，因为民间文学、习俗与信仰体系就是古代民众生产生活所必需的地方性知识体系，这些知识必须稳定地传承下去。

而科技的到来打破了这种观念封闭结构，现代传媒的出现将远方世界不加转述直接呈现在民众面前，这就导致了传统上由方言俗语、民间文学构成的空间视域没有发挥任何的转述作用，民众直接接收了来自远方的信息。但这些信息不能和本地叙述传统相融合，因此传统的视域封闭空间解体了。这种解体本身并非由这套结构的功能失效而导致的，而是因为科技带来的强大的信息传递功能所引起的，它给予了民众一种信息爆炸式的震撼，使得传统视域结构被暂时遗忘了，因此导致外部功能失效。科技带来了城市化、工业化的新型生产生活方式，这让许多传统的生产方式逐渐消失，让人口开始出现了大规模的流动。传统的生活空间被打破，新的生活空间一直处于建构的过程中，以上这些新的社会转变都需要民众进行适应与融入，在这个过程中对内的功能也失效了。

二、"谣言"：新形态之一

科技发展带来的是信息传递媒介的改变，但它无法产生替代传统封闭观念视域的文化转述功能。网络社会中纷繁杂乱的信息中那些真正能进入民众日常生活的消息依然经过某种转述，发挥这种功能的其实还是由诸多民俗事象构成的封闭观念视域，只不过它的外在形式不再是传统认知中的模样。

施爱东在《"太平家乐福谣言"的历史根源与文本分析》[5]一文中对"家乐福孩子走失"相关谣言的研究，就对其情节的传播变异进行过分析。从中不难发现，"太平家乐福"谣言其实完全可以当作一个以符合网络信息媒介工具传递方式讲述的民间故事来理解。而之所以在整个谣言的传播过程中，没有人意识到其实是一个故事，一方面是由"媒介即讯息"导致的，最初传递这则文本的信息渠道的权威性很大程度上决定了民众对此的认知态度；另一方面，这类谣言都会最准确地击中民众在当下都市生活中已经缩小到极限的观念生活空间。民间故事，尤其是生活故事的讲述，有个非常重要的概念——叙述空间，即故事的讲述会创造出一个虚拟的空间，但这个空间并不是凭空想象的，而是一种基于现实空间的创造。[6]193 这类谣言性质的故事善于精准地编造这种空间，既不会过远，导致其超出当下都市民众过小的生活空间边界，又不会过近，导致民众通过常识判断出其民间故事的本质而使其失去信息的伪装。它会将叙述空间放在当下都市民众生活空间边界中暧昧不清的地方，让人觉得它就在自己的生活空间中，需要接受这个信息，从而相信这则谣言对于信息的转述，将其内化为自我日常生活的一部分。具体到"太平家乐福"谣言中，就是故事的发生地点——大型连锁超市。以大型超市为代表的一类都市公共场所都有一个明显的特征，它是日常生活不可缺少的地方，但又是与自己不处于同一封闭观念视域的陌生人聚集的地方，简言之，陌生人流密集，但又在日常生活中离不开的地方，因而具有天然的危险性，再加上文本将危险虚构在了最没有自保能力的孩童身上，精准地把握了叙述空间的创造，这是此类谣言能够迅速传播的原因之一。

其实谣言文本中 a. 孩子的头发被剃光了、b. 人贩子不知去向、c. 警示语，三个情节已经基本上明确告知了其故事的本质。其中的剃发情节，施爱东已经提出了它就是中国传统民俗中特有的民间信仰成分。从江绍源先生的《发须爪》中提出的"寄灵物"，到孔飞力的《叫魂》中剪辫子的情节，这种民间信仰在中国由来已久。"人贩子不知去向"更是故事结尾中创造恐怖，诡异气氛中常用的"凶手 / 巫师 / 精怪不知去向"等表达方式的一种，其目的在于强化故事中的教化成分的作用，提醒听众要遵循故事传递出的某种禁忌、教化、习俗等，否则依然会受到惩罚。而最后的警示语部分更是直白地将故事的教化功能告诉了听众。从文中提供的后续异文来看，原初的这则文本确实是伪装得最好的一则了，后面更多的异文夸大了代表性情节，即找到孩子时正在被剃发；营造故事紧张感，即千钧一发之际救下了孩子等方面更为夸张，已经完全是一则简短的民间故事了。

从对"太平家乐福"谣言的简要分析中不难看出，当下的网络社会当中民间故事为了适应新的网络社会进行了一种形式上的革新，但其核心功能仍在继续发挥作用。

三、"童话"：新形态之二

从对外功能来看，发挥着转述功能的民间故事类型在形态上的改变确实很大，其本质还是由观念性生活空间边界的迅速回缩引起的，族群认同、地方信仰、生产性知识等传统的民间故事应该发挥功能的方面在现代网络都市生活的环境中都已经被排除在生活空间之外了。但是从对内功能即地方性知识的代际传承这一点上来看，即使在当下观念生活空间已经十分狭小的现代网络生活中，有一种民间故事依然稳定地发挥着功能，在形态上相比于上文分析的谣言，基本没有发生任何变化，甚至紧跟当下社会实事，可以算是在现代网络社会中生存得最好的一种民间故事类型了，这就是童话故事。

童话故事作为儿童在启蒙阶段接受基本的道德理念、社会规则等知识的重要手段之一，在民间故事类型中一直占有重要的位置。现代网络媒体中的童话故事讲述方式，相比于传统的讲述方式确实有更强的吸引力。因为除单一的声音符号的信息来源，网络媒体上的童话故事都会结合相关情节的插图来进行讲述。在近两年AI普及的大趋势下，这些由AI制作的插图不仅情节描绘精准、主题鲜明，无论是在吸引孩子注意力，还是辅助理解故事情节方面，确实都比传统故事讲述中的单一声音符号信息更具有优势。

更为重要的是，这些童话讲述类的视频并非只对传统童话故事的现代技术再加工，而是与时俱进地进行更贴合当下育儿与婴幼儿教育环境的新故事创作与讲述。比如说有针对孩子挑食进行教育的故事，有针对现代网络社会中孩子因为接触庞杂网络信息而过早学会了脏话的现象进行教育的故事，甚至还有针对校园择友选的故事。这些故事无一不紧跟民众生活中的新问题，展现出了在现代网络社会中童话类民间故事的鲜活生命力。

以哔哩哔哩网站中的视频《不吃蔬菜的危害》[7]为例。这则故事的情节可以简单概述为：a. 小狐狸不爱吃青菜；b. 狐狸妈妈教育小狐狸未果；c. 小狐狸面临便秘问题；d. 狐狸妈妈指出问题来自不吃青菜；e. 狐狸妈妈让小狐狸认识蔬菜的重要性；f. 小狐狸吃蔬菜后解决问题；g. 小狐狸获得吃蔬菜带来的益处。其异文版本有小兔子版本的：整个故事的主人公换为兔子和兔子妈妈；在情节c中，具体的问题由便秘改变为赛跑比赛中身体虚弱；在情节e中，由逛菜园改变为逛菜市场。此外，还有小猫咪版本等，不一而足。

从传统研究视野对民间故事的分析来看，这些网络童话故事的民间文学性确实存在着争议，难以与传统研究理论框架相融。但是，科技带来生活方式的改变是不可逆的，传统民间故事所依赖的民俗场很大程度上是难以重建的，民间故事想要在现代性的网络社会中继续生存发展就必须适应这种改变。所以针对民间故事特性的学理性分析也应该适应这种改变。就《不吃蔬菜的危害》这则故事而言，虽然这个故事由确定的个体上传发布，但却存在多个确定个体上传发布的不同版本，并且每一个故事都是一个典型民间故事的异文版本，这种异文的大规模出现并不像传统民间故事传播一样存在某种时空轨迹，而是在短时间内大规模出现。这种迅速变异正是网络传播的特点之一，因为纵向的代际传承变异被横向空间传播变异取代了。[8]136但其变异的框架始终还存在于民间故事特性的框架中，只不过与原先变异途径产生了偏差。传统民间文学的变异性来自口头传播过程中特殊的讲演方式，但在现代网络社会中，讲演方式的变化导致这种变异不再产生于讲演过程之中，而是在讲述者与讲述者之间。现代网络传媒工具本质上就是一个盈利模型，讲述者精心制作这些故事视频的出发点就是盈利，所以他们会精心地进行异文创作，不断对故事进行贴合当下社会问题的更新与发展。在这种异文变化与传播中，这些故事事实上已经民间文学化了，它们具有了集体创作、集体共有的特性，虽然驱动其传播的驱动力与传统社会大相径庭，但结果却是相似的。郑土有在《民俗场：民间文学类非遗活态保护的核心问题》一文中对三吴地区的三大类民间文学的现状进行过分析，其中活态保护最好的是宝卷类民间文学，其原因也是直白的盈利因素，“经济利益的驱动，每年有十多万的收入，也有一定的信仰因素，年轻学艺者甚多”。[9]所以，盈利的驱动力是民间文学活态保护的一个非常重要的因素。

四、网络社会中民间故事形态变化的原因

从谣言到新童话故事，产生这种网络空间内民间故事形态变化的直接原因自然是为了适应科技改变后的现代生活方式。但具体分析来看，包含的原因大致有二：其一，回缩的日常生活空间；其二，信息传递媒介的变化。

关于空间观念方面，传统的生活空间观念是明确的，即由封闭观念视域包裹的一个观念性空间，它由方言、民间文学、生活习惯等民俗事项共同构成。这种观念性的生活空间跟物理性的生活空间也基本上是吻合的，具体生活在一起的群体都会享有同一个观念性空间。这就代表着古代日常生活的观念性空间实际上是相当大的，大多数来自“远方”的信息都需要经过传统封闭观念视域的转述以进入日常生活，这同样也跟传统社会中“远方”永恒的异域魅力有关系，这些来自远方的信息既跟生活空间有所关联，又能满足人们对于“远方”异域风情的追求与想象。[10]110

但现代科技带来的工业化打破了这种生活

方式，它带来了城市化。城市中数百万拥有各种各样的封闭观念视域的人因为现代化生产分工与角色分配，生活在了同一个物理空间中。在这样的环境下，人们确定观念上的自我生活空间是一件困难的事情。对门的邻居、公司的同事，都可能来自一个根本不熟悉的观念视域，这就导致城市化生活的人们开始回缩观念上的生活空间边界，直到以自我或者核心家庭为边界来确认。越是经济发达、外来人口众多的城市，这种现象就越明显。观念生活空间边界的回缩就导致原先跟日常生活相关需要转述的信息现在不需要了。在日常生活空间回缩的现状下，民间故事需要发挥功能的空间同样也会回缩，而去适应当下民众的生活空间观念。“谣言得以广泛传播有一个重要的前提，即谣言所涉及的问题必须是传播者关心的，或急于与别人分享的重要问题。”[11]谣言是根据民众的需求存在的；而童话代表的以核心家庭为传输纽带的生活知识的代际传播同样是当下生活空间内民众的核心诉求。

麦克卢汉的“媒介即讯息”是信息传播媒介理论的重要表述。其核心阐明了传播媒介决定信息的呈现方式。故而人们认知信息的习惯是被其主要使用的媒介工具养成的，它直接影响人们理解与思考的习惯。在当下的网络化社会中，人们习惯的信息呈现方式就是观点明显的、言简意赅的、主题倾向鲜明的信息。从这一点出发来看，谣言是更贴合人们信息需求的形态，它简明且具有很强情绪感染力，又总围绕着人们关心的问题出现。而童话故事虽然相较于谣言来说形态变化非常小，但从何种渠道来讲述这些故事决定了它对于现代孩童的吸引力。因为对于成长于现代网络社会的孩童而言，熟练使用现代科技工具已具备跟学习走路与说话一样的必然性，甚至很多孩子还在咿呀学语时就能熟练地使用手机播放、暂停了，因此即便是同样的故事，相比于来自父母和长辈，他们可能更愿意接受来自手机屏幕的讲述。

五、结语

民间故事类非遗赖以生存的民俗场消失的背后，实质是民众生活方式翻天覆地的变化。虽然这种变化导致了传统理论中的一些框架难以适配当下的社会环境，但这是民俗研究必须面对与克服的。作为研究者，在此时更应该重新审视现代网络社会中的民众生活，重新观察其中的民俗事象，以理论性的剖析与探讨去尝试解决这些新环境下的问题。

科技带来的传播方式改变，并不能产生替代由方言俗语、民间文学构成的观念视域的功能。方言、民俗、民间文学的核心功能依然在科技社会中发挥着它的作用，只是我们不能再以科技发展之前的方式去看待与理解它，不能再按图索骥。本文尝试将民间故事的非遗保护回归到文学性本身来讨论，举例的谣言与童话只是当下现代网络社会中民间故事新形态的一小部分，还有很多民间故事、民间文学形式以改头换面的形式活跃在当下的现代网络社会中。因此，只有在学理上对这些民间故事、民间文学分析与研究之后，加大保护投入、大力培养接班人、开拓新时代的传播路径，这些非遗保护的方式才能从外部行政手段真正转变成为具有可实践意义、有科学理论指导的、真正的实施路径与方法。

参考文献

[1] 马克思，恩格斯．德国民间故事书：马克思恩格斯论艺术（第四卷）[M]．曹葆华译．北京：中国社会科学出版社，1982：401.

[2][9] 郑土有．民俗场：民间文学类非遗活态保护的核心问题[J]．长江大学学报，2022(5)：27—32.

[3][6] 万建中．民间文学引论[M]．北京：北京大学出版社，1982.

[4][8][10] 赫尔曼·鲍辛格．技术世界中的民间文化[M]．户晓辉译．桂林：广西师范大学出版社，2014.

[5][11] 施爱东．“太平家乐福谣言”的历史根源与文本分析[J]．民族艺术，2014(1)：52—64.

[7] 儿童睡前故事《不吃蔬菜的危害》，3—6岁儿童睡前小故事，有声绘本[EB/OL].https://www.bilibili.com/video/BV1yJ4m1Y7cu/?spm_id_from=333.337.search-card.all.click&vd_source=aecb4504ee4e548ee13fc6cc48bfde2d.

非遗的都市交响，生活的活态画像

——《都市民俗与云间记忆》的生活方式面向与叙事实践

张琪舒涵

非遗是我们的一种生活方式。民间文学、传统曲艺、技艺、中医药、传统体育与杂技这些都曾是我们的日常生活方式。[1]大多数的非遗曾孕育于乡村，随着都市化的普及与市民意识的兴起，它们逐渐与现代性相接轨，构成了民众生活方式中传统的、可参考的一部分。在城市化率将提升至70%的今天，那些传统的生活方式不仅被商业化、遗产化，还在为民众提供生活智慧，承载意义与认同。可是，接轨带来的张力与矛盾，对事象与俗民的影响巨大。例如，就当下的传统春节来说，“是大都市的年味淡了，还是我们的自信在减弱？”

戴建国所著的《都市民俗与云间记忆》，由上海三联书店于2024年5月出版。该著是忠于日常、突围都市的一次尝试，既有“钩沉格知”的史学功力，又有“见人见物”的问题意识。该著展示了上海学者在文化传承与创新方面的积极探索与实践。其选录的篇章，并未局限在“非物质文化遗产”的诸多界定，而是以整体性的视角，重新审视着都市中的生活方式，对群体存在状态进行体认，具有将学院派民俗学与公共民俗学相结合的鲜明特点。作者寻找年味、感时应节、行走老城厢、发掘沪乡文化、格知文献、路上观察、啜茶评书，记录都市日常生活，书写云间见闻所感，试着让读者倾听到非遗的都市交响，观察并感受生活的活态画像。

一、活态性与都市生活方式面向

作为生活方式的非遗，具有丰盈的活态性。诸如曲艺、书法、茶艺、香道等非遗活跃在民众的日常里，提供情绪体验，滋养着价值观。文化承载者将生活方式传给后代，将灵活、流动和动态的组成部分归因于非遗的概念。[2]然而，当今的城市生活方式更具有强烈的多元化特征，其内部的差异性和复杂性比乡村要大得多。那如何去把握非遗与城市，或者说与现代生活之间的关系？被现代性所包围的我们，如何生成记忆与认同？作者在领悟《保护非物质文化遗产公约》对生活方式之多样性、多义性、多面性的保护内核后，从记录都市生活方式开始做起。

《都市民俗与云间记忆》以城市语境为基点，以生活事件为抓手，具有鲜明的日常性。“都市民俗”指向民俗文化现实样貌，标识地域方位、文化类型，主要立足日常生活而向前展开。而“云间记忆”则涵纳生活方式的历史存在，代表历史广度、生活向度，聚焦事象个案而向后回溯。

倾听当下，感受地方文化生活的独特魅力。无独有偶，周作人于1924年发表《生活之艺术》，也倡导追求日常生活中的美感，进而从中关注俗民的生活态度与价值观。“我们于日用必需的东西以外，必须还有一点无用的游戏与享乐，生活才觉得有意思。我们看夕阳，看秋河，看花，听雨，闻香，喝不求解渴的酒，吃不求饱的点心，都是生活上必要的——虽然是无用的装点，而且是愈精炼愈好。”[3]

作者从上海没有小年夜，惊蛰变成二月节，写到浪漫的七月、沪谚中的八月节，再到寒衣节与雷打冬，状写市民对传统节日的理解与体

作者简介：张琪舒涵，中国传媒大学艺术研究院博士研究生。

验；从都市的马路、公园、桥梁走到沪乡的民居、陇头边，丈量地方性的民风民俗与生活习惯；从非遗技艺、看到历史与空间、关联非遗传承人与民众，实现对非遗生活面貌的整体性把握。作为一本忠实面向都市生活方式的学术随笔，具有感受生活的民俗态的意义。

二、流变性与个体叙事

活态之外，《保护非物质文化遗产公约》也承认非遗是一个流动的概念。这并非物质超机体的流动，而是一个不断发展的、相互联系的、有关人的故事的发展。[4]大众的主观经验往往是理解非遗价值的关键。所以在国际上，“讲故事”一直被用于文化遗产机构。其目标不是吸引人们到文化机构，而是在人们日常生活中提供文化体验。[5]这种文化体验，指向记忆的生成。

在《都市民俗与云间记忆》中，读者也能跟随作者的故事，神游冥想。这本书以个人叙事的笔法，专注“小我”发声，让流动的某一历史时段，沿着个人的生活故事，通过阐释性叙事铺展开来。从都市缺水传说、华亭宾馆传说，可窥见上海特殊时期的日常；从报复性散步、公园的起舞，可观察市民的娱乐身体观的变化；从上海县衙、上海道署、龙门邨等，可体味到老城厢承载的怀旧感。正如作者在《后记》中所说：“上海的昨天和今天织成一道道有序而恬静的网，在阳光下，在风雨中，在夜幕里，不断地延伸着，我们在网上、网外观望着时光的流淌。”

与微观史不同的是，这种感受的热描是完全贴近生活本身的，表现了很多未经淘洗、提炼与打磨的生活糙质，时不时还有些“真性情”“真体验”的自然流露。作者也并没有一个前置的学术主张进行理论裁剪，文化发生的语境以较为完整原汁的方式留存下来。他在《后记》中承认这种叙事方法：“我在爬梳和观察中状写，打捞历史文献，捕捉转瞬即逝的云烟。我对宏大叙事不感兴趣，只想从俗民的视角审视上海的人、景、事、物。”

在叙述风格上，该著语言精简轻丽、逸动写意，隽永清新、将尽未尽。虽然不像深刻、厚重的论文那般严肃，但耐看的文字却给人长久的回味。有些更像蜜蜂般冷不丁地扎在读者“理所当然”的日常生活神经上。

三、实践性与随处的田野

非遗作为一种拥有鲜活生活语境的文化方式，无论是作为日常生活的华彩高潮，还是日常生活的分隔节点，都以原初的实践性面貌存在于群众的日常生活中。冯骥才坦言，从田野中出发，在田野中探索，再回到田野接受检验，这便是这门学问的全过程。所以说，田野是其本质。[6]

这本书所呈现的篇目大部分都是“田野”后所得。一个摇椅上的文献民俗学家，达到了身心脚步的在场。作者交叉使用访谈、局内观察、路上考现等方法，抢拍下一幅幅光怪陆离、变动不居的都市文化生活相。

透过《都市民俗与云间记忆》所记述的田野中的行为与对话，非遗的现存形态、位置功能被展示出来。春节的外滩灯光秀、清明节的校园缅祭、情人节的热闹喧嚣、中元节的寺庙烧香，进入小学校本课程的沪谚、直播间里的技艺制作……在现代语境下通过这些介于传统生活方式与当代生活方式之间的中间形态，我们可以看到非遗对当代民众的意义。这不仅仅是关乎非遗的形式表达，还关乎非遗的内涵，如感觉、心性、历史记忆、无意识的文化认同、无意识的生活结构和集团的无意识的社会结构等。

另外，无形非遗呼唤普通大众的参与实践。在数十年“政府主导、社会参与”的宗旨下，“遗产化”对非遗的影响巨大。一旦非遗成为一种制度设计的产物，级别越高越容易被抽离原有的时空场景。同时，在国家、社会等不同主体参与下，文化的实践不是大众与非遗的关系，而是大众与媒体的关系。[7]显然，要实现普通人的参与，就必须面对与一般国民的日常生活方式有关的各种文化问题，必须重新审视传统生活方式的价值，必须承认普通民众日常生活的基本正当性。[8]

在《都市民俗与云间记忆》中，作者以主位视角，大量描述了一个普通人亲身体验、感知无形文化的过程及心态，在地方层面寻求对文化实践的理解。从国家级非遗项目“沪谚”，到上海市级非遗项目“石雕技艺”“瓷刻技艺”“棕榈叶编织”“烙画技艺”“奉城木雕技艺”“吹塑纸版画技艺”，以及区级非遗“廊下土灶菜饭制作技艺”……围绕这些非遗的民间大众，有新乡绅、非遗传承人、游客、普通市民、非遗经纪人等等。在这些主体的共同合力下，非遗正以商业化、遗产化、生活化的面貌回归现代生活。事实上，非遗的变化答案可以在文化权利框架中找到，它为实现文化承载者的文化生活权提供了一种途径。

四、结语

“桂花赤豆糕，白糖莲心粥，又是甜，又是糯。”在这首20世纪的上海滩歌谣已远去的今天，都市中传统生活方式的变体与新的生活方式也涌现出来。通过《都市民俗与云间记忆》的生活方式面向与叙事实践，我们将发现，上海城市生活虽然是某一区域、某些时代的产物，但它也是整个传统生活方式与现代都市化进程结合版图上浓墨重彩的一笔。

除借助政府的相关措施外，非遗的守护者、承载者和实践者，可以通过任何方式参与实践，进而实现普通民众的文化权利，以达到增加文化的多样性与个性化。他们在获得自身文化认同的同时，适当地进行文化的调试和重新建构。非遗的传承和保护，要让看得见的文化展示场景与看不见的文化的心态世界，二者有机结合起来，达到文化形态和文化心态的统一。[9]因此，通过对非遗的整体性生活面向的考察、记录、研究，可以更为深入地探索传统文化与现代生活建设的基本规律，这也是当前非遗保护工作深入推进的必由之路。

参考文献

[1] 马盛德. 中国非物质文化遗产保护十讲[M]. 北京：商务印书馆，2024：8.

[2] Jessika E. Intangible cultural heritage, inequalities and participation：who decides on heritage[J]. *The International Journal of Human Rights*, 2020(5).

[3] 周作人. 生活之艺术[J]. 周作人民俗学论集. 上海：上海文艺出版社，1999：224—226.

[4] Turgeon L. The Politics and the Practices of Intangible Cultural Heritage[J]. *Ethnologies*, 2014(36).

[5] Floch J，Jiang Shanshan .One Place，Many Stories Digital Storytelling for Cultural Heritage Discovery in the Landscape[J]. *Digital Heritage*, 2015(2).

[6] 冯骥才. 一门从田野到田野的学问——论非遗学本质[N]. 人民日报，2024-04-13.

[7] 王杰文. “遗产化”与后现代生活世界——基于民俗学立场的批判与反思[J]. 民俗研究，2016(4).

[8] 周星. 非物质文化遗产与中国的文化政策[J]. 萧放. 乡土生活的逻辑：人类学视野中的民俗研究[M]. 北京：北京大学出版社，2011：352.

[9] 麻国庆，朱伟. 文化人类学与非物质文化遗产[M]. 北京：生活·读书·新知三联书店，2018：19.

（上接第12页）

困难，作为非遗保护单位应该通过政策配套和制度完善来帮助传承人解决困难，激发动能，推动非遗传承工作顺利进行。

首先，帮助传承人解决场地问题。保护单位要在力所能及的情况下为传承人提供合适的场地。其次，为传承工作提供必要的资金。市级项目与国家级项目相比，资金紧缺程度较高，传承工作时常捉襟见肘。再次，为传承人的徒弟提供工作机会。政府要进一步完善非遗工作机制，为有志于学艺的年轻人提供相应的政策保障，提供相应的工作岗位或给予相应的资金补贴。

4. 完善传承人梯队建设

传承人梯队建设关系到非遗技艺是否后继有人的问题，非遗保护单位在非遗保护工作中对此要十分重视。要加强青年人才培养，改变一些项目青黄不接的状况，要积极寻找发掘潜在传承人，建设合理的传承梯队，在有条件的情况下，可以引进相关人才，并帮助其落户。除此之外，还要在传承人认定制度上进行完善，加快实现传承人队伍的年轻化，确保非遗项目后继有人。目前，有的项目在市级代表性传承人去世后，长时间没有新的代表性传承人。对此，非遗项目保护单位和相关管理部门要在政策和机制上及时进行调整和跟进，做好后续的代表性传承人认定工作，以使非遗项目得到更好的传承。

非遗传承赋能乡村振兴：从文化资源到文化资本

——以蔚县剪纸为例

李雪莉　胡卫军

摘　要：河北蔚县剪纸以其独特的刀刻技艺和彩色点染著称，是中华民族宝贵的非遗。基于法国社会学家皮埃尔·布迪厄的文化资本理论，将蔚县剪纸作为典型案例，采用文献研究、实地调查、深度访谈等方法，深入挖掘其蕴含的文化资源及价值。研究旨在探讨蔚县剪纸作为文化资源向文化资本转化的路径，以及其依托学校场域传承、文化资本化运作和产业化开发三种途径赋能乡村振兴的实践，并分析其中存在的矛盾与解决途径。

关键词：文化资本；文化资源；蔚县剪纸；乡村振兴

"文化资本"的概念由法国社会学家皮埃尔·布迪厄率先提出，并在其1986年的论文《资本的类型》中得到完善。布迪厄将资本分为经济资本、社会资本和文化资本三种类型，强调三者之间并非孤立存在，而是可以相互转化；将文化资本的存在形式区分为具体化的文化资本（如文化技能、文化素养等）、客观化的文化资本（如书画、工艺品、书籍等）以及制度化的文化资本（如学位证书、行业营业执照等）这三种形态。20世纪90年代末，澳大利亚经济学家思罗斯比从经济学角度对文化资本的概念进行新的解读，将其视为一种经济现象，并揭示文化价值与经济价值之间的内在联系。[1]与工业资源不同，文化资源绿色环保、可循环再生，能够为第三产业发展提供持续动能。依托特色文化资源进行基础设施建设和文化空间营造，可以有效提升区域经济发展的文化附加值，非遗作为文化资源的重要组成部分，其从文化资源向文化资本的转化，本质上是文化资源在生产领域的活化过程，是文化资源价值实现的重要途径。作为乡土记忆重要载体的非遗，深深植根于广袤的乡村大地。蔚县剪纸，这项发源于明代的民间艺术，历经数百年传承与演变，凝聚着劳动人民对美好生活的期盼，承载着浓厚的乡土记忆和文化意蕴。蔚县剪纸在乡村文化建设和乡村振兴中扮演着至关重要的角色。

一、蔚县剪纸中"文化资源"与"文化资本"辨析

文化资源是文化资本的源泉，通过开发、转化和利用可以转化为文化资本，构成文化产业的基础。文化资本则具备资本的属性，能够在生产领域实现增值，并可在特定条件下转化为经济资本。蔚县剪纸于2006年被列入第一批国家级非遗名录，从明代至今经过几百年的发展，形成阴刻、点染的独特风格。蔚县剪纸作为一项地域特色鲜明的文化资源，具有独特的艺术价值和文化内涵，其文化资源为转化为文化资本提供坚实的基础和更多样化的可能。

1. "蔚县剪纸"中的文化资源

蔚县剪纸精湛的刀刻技艺和绚丽的彩色点染，与当地百姓的日常生活密切相关，与贴窗花的习俗相辅相成，生动展现蔚县人民的生活情趣和精神世界。

基金项目：本文系吉林省社会科学基金项目"考古遗址文化景观的生态设计研究"（项目编号2022B180）的阶段性成果。

作者简介：李雪莉，吉林大学考古学院硕士研究生；胡卫军，吉林大学考古学院教授。

蔚县独特的地理环境和历史文化，为剪纸艺术的形成和发展提供丰厚的土壤。蔚县地处三山交会的盆地，水源充足，素有“京西米粮川”之称，为剪纸艺术提供源于生活的创作灵感，孕育其质朴、生动的艺术风格。同时，特殊的地理位置也使蔚县成为兵家必争之地，悠久的历史积淀和战争记忆，催生以“八百城墙八百堡”为代表的独特文化景观，这些古堡不仅成为蔚县窗花文化的滥觞之地，也为剪纸艺术注入英雄主义的文化基因。

蔚县村堡中的窗户被视为家家户户的门面，过年时不仅要贴春联，也要在窗户上贴窗花，将剪纸作为装饰使门窗融入和谐统一的过年气氛中来。生活在这里的人们，常巧妙地将自己的乡村生活与英雄情结融入剪纸艺术中。忙碌了一年的庄稼人期盼五谷丰登、福禄双全，就产生了这类表达美好愿景的剪纸作品。又因多民族聚居和社会动荡，人口的流动把戏曲艺术带到蔚县，造就了蔚县“八百村堡八百戏楼”的景观。与之相应的，戏曲人物类剪纸也成为蔚县剪纸的一大特色，人们将戏曲人物区分为奸佞和忠良，以剪纸的形式进行表达。在过年期间，糊上白麻纸的大窗户，空荡荡、白晃晃，缺乏生气和喜悦，而将经过点染的五颜六色、鲜艳夺目的戏曲人物窗花，贴在一个个窗格内的白麻纸上，便组成一块既给家庭带来欢乐和喜庆，又便于对子孙开展传统美德教育的、文化内涵极其丰富的展板。[2]

在蔚县剪纸漫长的发展过程中，蔚县剪纸工艺逐渐成熟。剪纸技艺经过数年的发展创新，从剪刀剪纸发展为刻刀剪纸，剪纸作品的题材和表现形式也更加丰富多样，由古老的单色剪纸发展为复杂的点彩剪纸。蔚县剪纸的这些独特的艺术表现，为其从文化资源向文化资本的转化打下了基础。

2. 蔚县剪纸中文化资源的价值转化

蔚县剪纸经历了从实用功能到艺术欣赏的转变。蔚县剪纸原本是民俗文化中的装饰物，后来剪纸做的窗花也会在年关时售卖，但作为商品仍然具有时效性。现阶段蔚县将剪纸作为工艺品售卖，以剪纸独特的刀刻工艺细节和彩色剪纸为卖点。从装饰品到成熟商品的转变，不断促使蔚县剪纸从文化资源向文化资本转化，进而发展文化产业。由于文化资源开发的最终目标是要转化为经济收益，因此，文化产业发展的过程就是将文化资源转化为文化资本的过程，文化资本则是文化资源在经济生产领域的活化。[3]作为文化资源的非遗的实施主体是人，非遗传承人能够根据市场上的文化需求变化对产品进行创新，不断在经济生产领域投入文化资源，更高效地促进客观形式的文化资本的转化与增值。非遗也属于文化资源的一部分，与其他文化资源不同的是，非遗作为文化资源的本身就有着天然的优势：活态性——即更易被开发和利用。

而有效合理地利用文化资源的经济属性，就要不断将文化资源中的文化价值和经济价值转化，正如英国文化学者罗比恩斯所言，在界定任何文化商品时，有必要将经济价值与文化价值作为不同主体进行考察。[4]因此，文化资源中的文化价值也不能简单地被经济价值所涵盖，文化资源的价值转化需要遵循价值规律，这就为蔚县剪纸在从文化资源向文化资本转化的过程中赋能乡村振兴提供更多样化的选择，可以使经济建设与精神文化建设并行。

文化价值转化。剪纸本身就是蔚县乡村人民精神文化的外化，文化资源不仅体现在剪纸的物质形态上，也体现在纹样图案和技艺的传承、剪纸蕴含的寓意上。蔚县剪纸文化资源的开发，能为当地民众提供更多的文化娱乐设施的完善与建设，如博物馆、文化馆、图书馆等，能更好地满足当地人民的精神文化需求。同时，蔚县的剪纸文化凝聚当地人的乡土记忆与道德共识，有利于推动乡民的家国情怀建设，提升我国的文化软实力，促进乡村文化的振兴。

经济价值转化。与其他不可再生能源不同的是，文化资源具有可再生性，其转化为文化商品的能力就更强，这意味着不用处理文化资源投入和消耗所产生的环境污染，也不用过分焦虑文化资源的衰竭。在这个前提下，文化价值就能为文化商品带来纯粹的附加经济价值，有助于促进文化产业的发展，提升当地的文化消费水平，推动乡村的第一、第二、第三产业的融合发展。

3. 蔚县剪纸转变为文化资本的体现

蔚县剪纸的文化资源转化为文化资本，主要体现在以下两个方面：

其一，无形文化资本产生的服务与流通。这是蔚县剪纸成为文化资本的本质体现。在蔚县剪纸这项非遗中，传承人的技艺（无形文化资本）一直在不断流通。例如在实地调查中，蔚县文化馆会对剪纸艺人进行美术基础培训、传承人对剪纸爱好者进行技术培训，剪纸艺人不断学习专业美术知识，将文化资源转变为具体形式的文化资本。大多数剪纸艺人都放弃了最原始的手绘剪纸，自学 Photoshop 图像处理软件或者使用数位板画样，以提高剪纸产品的生产效率。点彩步骤中用来染色的颜料也在成分上进行了更新，从开始的几个月后颜色变浅，到现在能维持两年以上颜色鲜艳。

其二，有形文化资本的增值。这是蔚县剪纸成为文化资本的外在表现。具体形式的文化资本在增量的过程中，客观形式和体制形式的文化资本中的文化价值也在不断增加，文化价值的增加带来经济价值的同步增加。当越来越多的文化资源作为生产要素投入文化生产时，文化产业的规模也会越来越大，文化消费也逐渐增多，这具体表现是客观形式的文化资本增值。例如，蔚县剪纸的实体店中，能见到的剪纸产品多为传统图案，价格不高。但用剪纸的形式做婚纱照，顾客提供照片，由剪纸传承人进行设计与制作，价格就比现成剪纸产品要高很多。

二、非遗传承赋能乡村振兴的路径

文化资源的转化不仅能满足人民生活中的文化需求，在转化为文化资本后，还能参与生产与流通的环节，将文化资源作为自身优势，不断推进产业升级。这就使蔚县剪纸有越来越好的传承环境，不仅能推动乡村地区文化建设，还能优化乡村地区经济的发展环境，为乡村振兴提供更多的发展可能。

1. 防止返贫——文化资本在学校场域的习得

乡村教育是乡村振兴战略中十分重要的一环，乡村教育的振兴具有巩固扶贫成果的作用，是促进乡村教育现代化的动力。在振兴乡村教育的过程中，将乡土文化教育与职业教育相结合，在传承地方性知识、传承非遗的同时，也能有效地让教育赋能乡村、发展乡村。

布迪厄的文化资本理论中，文化资本的流动无法打破阶级的桎梏，但这并不意味着文化资本的获得和积累是僵化的，相反，在乡村振兴的实践中，政府将剪纸教育放在学校场域中，为更多人提供接触、学习剪纸技艺的机会，这就打破了家庭教育、血缘关系和传统拜师学艺的文化再生产，让文化资本的习得和流动有了新的可能。

为巩固乡村振兴成果，防止脱贫群众返贫，蔚县职业技术教育中心与省级传承人合作，成立剪纸培训基地。该基地为脱贫家庭的孩子提供学习剪纸技能的机会，在三年制的职业学习过程中，第一年为基础学习，经过一年的学习，就可以做一些简单的剪纸工序，赚取一些生活费。学生毕业后即可从事剪纸行业，拥有依靠技术自立的基本能力。在蔚县残疾人联合会也有同样防止返贫的政策，残疾人联合会定期举办剪纸授课班，由传承人向全国各地的残疾人授课，使他们能够利用剪纸技艺自立自强，迄今为止已经教会了 300 多位残疾人。

从乡村振兴的角度上看，将非遗教育与巩固扶贫相结合，可以加快文化资源向文化资本的投入，增加文化资本的存量。而文化资本存量和文化资源的投入，是文化产业发展的必然过程，在此过程中文化商品的文化价值得到提升，经济价值也就随之提升，这也就为乡村中的特色文化产业打下了基础。而从非遗传承的角度讲，让脱贫家庭的子女在学校场域中习得文化资本，也能使他们更加重视学校的成绩，在学习的过程中不断对自已投入文化资源、精进剪纸技艺，进而扩大非遗的传承基础。

2. 非遗旅游开发：乡风文明，生活富裕——文化资本化转化

资源只有在交换的过程中才能实现其价值，价值则需要进入市场进行交易并产生增值才能成为资本。[5]文化资本的积累是动态的，需要文化资源的一直投入和文化资本本身的不断增值，而物质形式的文化消费可以累积文化资本。因此，将蔚县剪纸发展为文化产品，进入市场进行交换，吸引经济资本进入蔚县，是发展文化产业、促进文化消费的必然选择。在这个过程中，文化资本的增值还推动着乡村文化建设，不仅传承了乡土文化，也为以农业为主的乡村经济注入新的活力。正如党的十九大报告所强调的，加快乡村文化建设是全面推进乡村振兴

的重要举措，是传承发展乡土文化的需要，是乡村振兴发展的现实要求，是实现城乡一体化发展的必然选择，有利于新时代乡村治理与乡村文化建设，有利于乡风文明的发展。[6]

合理利用特色保护类村庄资源，发展特色非遗旅游。依托“八百城墙八百堡”“八百村堡八百戏楼”的国家级文物保护单位和民俗文化特色，以蔚县政府为主导开发非遗旅游区，将暖泉古镇内村堡开发为民俗旅游景点，在春节、元宵、国庆节等特定的节庆，以剪纸、打树花、拜登山等民俗类国家级非遗为特色，烘托节日氛围，引起游客对于乡愁的共鸣。利用这几项非遗的共性营造节日氛围，将这个景区打造成几项非遗相互依托的局面，继而吸引游客进入当地消费。剪纸艺人们将剪纸从装饰品窗花变成装裱的艺术品，方便游客带走当作纪念品送亲戚朋友，并在旅游区设有很多剪纸艺人的小店提供剪纸体验服务。此外，在利用已经小有名气的非遗打造民俗氛围的同时，也在吸引游客关注蔚县内的其他非遗项目，例如最近几年的青砂器制作体验馆。

娱乐、丰富村民生活，推动建设乡风文明的新农村。蔚县的很多村民都学过剪纸，尽管有些人选择了转行、有些村民因年纪限制导致体力不足以支持他们继续剪纸，但是村里会经常举办剪纸比赛，以娱乐、丰富村民的生活。这不仅有利于传承和弘扬剪纸文化，而且有利于以乡土记忆凝聚村民对于道德共识的整体认同。当下蔚县剪纸也有很多的戏曲人物系列，剪纸艺人将乡土百姓对善恶忠奸的朴素情感表达在剪纸上，在这些戏曲人物的表现上。因此，蔚县剪纸的传承，不仅是传承技艺，更是乡风文明的建设。

合理开发乡村新就业岗位。政府针对民俗旅游区培养当地一部分老年人做旅游讲解工作，“旺季大概一天能挣200到300元，淡季几十元，我们就是这个堡里的村民，干讲解之前是家庭妇女，没有工作也不怎么识字”（2022年11月16日蔚县暖泉古镇景区访谈）。接受导游培训要背很多稿子，要熟悉当地文化。这项举措不仅让当地村民获得一技之长，增加了收入，也推动乡土文明在新时代传承。

持续改善农村人居环境。为提升游客的旅游体验，在全镇建设卫生厕所，扫一扫路标上的二维码即可获得当前最近的厕所位置。政府还在暖泉古镇的景区旁边建设一条商业街，这既保证古镇不会被商业化破坏，又能改善村民的就业环境和游客的消费环境。

挖掘培养乡土文化人才。蔚县当地每年举办剪纸艺术节，邀请海内外的剪纸爱好者参观学习，促进不同文化的交流，这不仅能给当地的剪纸艺人带来很多和国外合作的机会，还能增加艺人创作时的灵感。蔚县鼓励传承人自创文化品牌，以不同的渠道增加剪纸销路。蔚县参与的各类展会中，蔚县领导会携带各位传承人的剪纸作品进行展示。

3. 发展乡村特色文化产业——文化资源产业化开发

文化资源是一种动态的、非独占的、可再生的精神财富。文化产业发展的过程，实质就是文化资源通过产业开发，不断转化为文化资本并实现其价值的过程。从经济学的角度看，蔚县剪纸的文化资源不断投入，才能带动文化资本的增值。因此，剪纸产业化是对文化资源的产业化运作，将文化资源不断转化成文化资本的模式，不断推动文化资本向经济资本转化。

建设文化产业特色村和文化产业群。蔚县政府在“十四五”规划中强调：为推动蔚县剪纸的产业化发展，要大力建设“中国蔚县剪纸文化产业集聚区”“中国蔚县剪纸文化产业园区”，继续完善集聚区发展规划、完善基础设施、健全管理制度、配套服务体系，提升中国剪纸艺术博物馆、中国剪纸第一街、中国剪纸第一村（南张庄剪纸国际风情小镇）、中国剪纸艺术学校、中国剪纸艺术团等项目质量水平。积极推进设计、研发、品牌建设及销售业态的发展，重点培育“集聚区＋孵化器”式的创意剪纸文化产业功能，努力把集聚区建设成为我国最大的集艺术开发、生产加工、展销贸易、观光旅游于一体，功能齐全、设施完备、产业链条完整的国家级文化产业集聚区。[7]

三、现存矛盾与可能的解决途径

蔚县剪纸在从文化资源向文化资本转化的过程中，依靠无形资本的服务与流通而有了相对稳定的市场，但由于文化资源的开发是以带来经济效益为目标的，难免出现不利于非遗传承的机器剪纸问题。这本质上是文化资源的经济价值与文化价值之间的冲突，需要在发展中寻求平衡。

随着蔚县剪纸产业规模的扩大，有些商户为了以更高的效率获取更大的利润，利用机器生产剪纸伪造人工剪纸进行售卖，一般为单色剪纸，彩色剪纸由机器完成剪纸的程序，人工上色。机器剪纸一般是最小幅的剪纸（原始窗花大小），图案较多为传统图案。在实地调查中，经传承人指点，仔细观察即可发现，机器剪纸的边缘弧度较为圆润，而手工剪纸的边缘较为锋利，剪纸时刀子转动留下的痕迹清晰可见。以原始窗花大小的剪纸为例，剪纸实体店中机器剪纸的价格为 5 元到 10 元，而相同大小的一般人工剪纸价格应为 20 元以上。但大多数游客不会分辨机器剪纸与人工剪纸，于很多店中购买的窗花大小的剪纸大多是机器剪纸，而大多数店主也不会告以实情。这就造成机器剪纸与手工剪纸进行价格竞争时，游客往往偏向于价格更划算的机器剪纸。

机器剪纸的出现本是科技发展、产业转型的一个正常现象，与人工剪纸出现竞争场面几乎防不胜防，但用机器剪纸伪造人工剪纸进行价格竞争，导致劣币驱逐良币，是单纯逐利且不合法的。一旦在消费市场模糊剪纸的制造过程，就会对剪纸的传销传承基础造成难以估量的如被蚁筑堤坝般的伤害，看似产品售卖得一片大好，实则只剩几个原创者苦苦支撑。机器剪纸不单是制作速度快，更容易的是以极低的成本模仿原创，不投入设计与创作的时间成本，仅仅是快速复制别人的作品进行售卖，就能对原创的剪纸艺人造成极大的伤害。

为促进蔚县剪纸的长期可持续发展，蔚县剪纸现在仍然以成批量地出售工艺品为主，但剪纸的未来的发展终究要向私人定制、更有个性的方向转型，顾客购买的剪纸不仅是购买其装饰作用，也是购买剪纸这一手工艺商品带来的精神滋养。因此，相关政府部门，特别是文旅部门需要对剪纸市场进行规范，加强市场监管，要求商家必需向顾客告知机器剪纸和人工剪纸的区别，让消费者自愿选择购买机器剪纸或是人工剪纸，同时另外对剪纸商家与工厂进行相关法律培训，要求其不得存在欺骗消费者和抄袭的行为。要确保在开发文化资源、文化资本增值的同时，既保护作为文化资源（非遗）的传承性，也保持文化资源（非遗）的独特性，让剪纸产业良性发展。

四、结语

蔚县剪纸的文化资源向文化资本转化的过程，是以蔚县剪纸的传承为基础，利用文化资源的差异性，不断投入文化资源进行整合，最终发展文化产业的过程。尽管在这个过程中，仍然有利用机器剪纸伪造手工剪纸的现象，但蔚县剪纸商品以私人定制为发展趋势，蔚县剪纸产业整体向好。在蔚县剪纸赋能乡村振兴的过程中，以无形文化资本为基础，投入更现代化的文化资源为辅，通过剪纸产品的创作和生产来保证资本的转化。蔚县剪纸的传承与创新不仅仅是文化资本的流动，更重要的是，剪纸的传承勾起当地人民和游客对于乡愁的记忆，强调当地人民对于道德共识的整体认同，丰富居民文化生活、解决就业问题，为第一、第二、第三产业深度结合发展提供契机。剪纸文化的传承不仅赋予蔚县乡村产业发展的新活力，而且为乡风文明、治理有效、生态宜居、生活富裕的新农村注入新时代的内涵。

参考文献

[1][4]（澳）戴维·思罗斯比.经济学与文化[M].王志标，张峥嵘，译.北京：中国人民大学出版社，2015：36.

[2]郑一民，田永翔，薄松年主编.中国民间剪纸集成 蔚县卷[M].石家庄：河北教育出版社，2006：17.

[3]徐望.文化资本时代的中国文化论[M].北京：中国经济出版社，2017：79.

[5]刘孝蓉.文化资本视角下的民族旅游村寨可持续发展研究[M].北京：中国旅游出版社，2018：107.

[6]陈晓霞.乡村振兴战略下的乡村文化建设[J].理论学刊，2021：141—149.

[7]蔚县文化广电和旅游局.蔚县文化广电和旅游局“十四五”规划（2021 年—2025 年）[EB/OL].http：//www.zjkyx.gov.cn/single/26/86763.html.

尊古容变与求真慎变并举

——传统音乐类非遗的当代传承方式

耿　浩

摘　要：全球化、现代化带来的社会转型，使非遗传承面临严峻考验，尤其是与传统生产生活方式相伴随行的传统音乐类非遗，逐渐转化为艺术形式、文化符号和社会资源的形式存在，其传承方式亦从民间口头性自主传承转向国家政策性引导传承、学校规范性教育传承和社会机构、团体舞台性表演传承。而在众多保护与传承的方针与举措中，尊古容变与求真慎变并举，是在继承传统的基础上促进传统音乐类非遗融入现代生活有效且可持续的方式。

关键词：非遗；传统音乐；尊古容变；求真慎变；传承方式

作为非遗的重要组成部分，传统音乐业已从分散的项目性保护转入有计划、有步骤的全面保护阶段。本文以传统音乐类非遗的传承主体为切入点，在综合和总结前人研究的基础上，针对尊古与求真、容变与慎变的原则，厘清传统音乐类非遗在当代背景下不同传承主体的传承方式。

一、民间口头性自主传承

传统音乐类非遗产生于人们日常的生产生活实践，有着娱乐的、象征的、教化的、交流的和实用的等多种功能，是民众生活中不可或缺的重要组成部分，特别是在有语言无文字的民族中，传统音乐类非遗更是起到记述历史、传授技能、教育子女、尊天敬神的重要作用。如：蕴含浓厚西北风情的“花儿”，有着鲜明的西北地缘特色，在传统社会里，是西北人们唯一的精神寄托和娱乐方式，形成“花儿”在民间不能不唱的局势；在劳动时为统一劳动节奏、缓解劳动疲乏而产生的劳动号子；苗族群众在生产劳动过程中在山岗林野、江边河岸互相以歌询问、邀约、逗趣产生的“飞歌”；中国传统节日、婚丧嫁娶等民俗活动中产生的民俗歌曲。

由于传统音乐类非遗的生产生活特性，“音乐—人—语境”构成其传承与传播的整体结构，即民间口头性自主传承。民间口头性自主传承，以口传心授、口传身授为主要传承方式，是在文化认同基础上的文化理解，是局内人在一定文化场域中以文化持有者的身份进行文化承袭的过程与结果，传承的内容即为生活方式的非遗。在这一过程中，“传统、传人和传承是至关重要的三大要素”[1]。因此，民间口头性自主传承首先应秉持着尊古（即尊重传统）原则，以确保传统音乐类非遗的根不变；其次，传统音乐类非遗在民间口头性的自主传承中应容变（即允许部分改变），以增强其对现代社会的适应，激活其自身的造血功能。

民间口头性自主传承是传统音乐类非遗最传统、最本源的传承方式，是实现其与文化整体生态之间血肉联系的重要介质，是“特定人群在特定地方讲述特殊故事的现实存在与历史存续”，[2]因此，民间口头性自主传承应在尊古的基础上，再谈容变。

基金项目：本文系中国音乐学院研究生培养科研资助项目“中华民族共同体意识视域下北方人口较少民族音乐文化研究”（项目编号 20242002/009）的阶段性研究成果。

作者简介：耿浩，中国音乐学院博士研究生。

二、国家政策性引导传承

对非遗的保护与传承，国家具有重要的战略性、规范性和导向性作用。随着《保护非物质文化遗产公约》的发起，我国为响应国际公约、建立世界文化多样性和树立民族自信、文化自信，开始广泛关注富有民族文化基因的非遗。这是国家对非遗的社会价值和文化意义的重新审视，使非遗的社会身份发生重大转变，其社会地位也大幅提升。至此，包括传统音乐在内的非遗不再狭义地被看作是某个地域或某个民族的文化特质，是被整合成一个整体，以非遗的名字出现在世人面前，成为一种广义上的、鲜明的民族文化符号，如入选联合国教育、科学及文化组织《人类口头和非物质文化遗产代表作名录》的昆曲艺术、古琴音乐、京剧演唱，已不仅是区域文化的代表，也是中华民族文化的重要代表，更是中华民族文化共同体中的重要一员。

2004 年 8 月，我国加入联合国教育、科学及文化组织《保护非物质文化遗产公约》，成为第六个缔约国。此后，我国的非遗保护与研究迎来前所未有的热潮，国家制定并颁布了诸多非遗保护的方针政策，学界积极展开非遗的挖掘、整理、研究，社会各界积极协调和组织非遗培训、展演、申报等工作。直至 2021 年 3 月 1 日，在教育部公布的 2020 年普通高等学校本科专业备案和审批结果中，“非物质文化遗产保护”出现在《列入普通高等学校本科专业目录的新专业名单（2021 年）》中，广西民族大学、四川音乐学院、河北美术学院、南京艺术学院、安徽艺术学院、兰州文理学院、郑州工程技术学院、贵阳人文科技学院共八所高校开设“非物质文化遗产保护”专业，成为艺术学门类下的新增专业。从研究生教育序列的被确认到本科专业设置，这是非遗真正在国家学科体制内确认自己的明确位置，获得自己一席之地的重要标志，亦标志着非遗从学理探讨和社会传承进入到国家制度性设计和举措落实的新发展阶段。

国家政策性引导传承的战略性、规范性和导向性作用，决定国家在非遗保护和传承上应以求真与慎变为追求目标。传统音乐类非遗求真与慎变的追求目标即国家通过政策、法规的颁布与实施、资金的支持与供养等宏观调控的方式，保证非遗传承内容的真实性和本源性、传承方式的活态性、传承主体的可持续性，配合民间口头性自主传承的尊古和容变，形成民间与国家传承方式的并行、但又相互配合的良性格局。

三、学校规范性教育传承

在经济全球化、社会城市化和知识规范化的今天，以口传心授、口传身授、自具体系为主要传承方式的传统音乐类非遗，其原生文化场域和存续空间不断流失，导致其承续力不断受到考验，甚至是濒临消亡的局面。因此，民间、政府和学界愈来愈将目光聚焦学校教育，寄望于学校教育能够观照当前传统音乐类非遗传承的困境，确保其历时性延续和共时性传播。

学校教育是以教室为教学场所、文本（教材）为教学内容、教师为教学主导、学生为教学主体、课堂为教学介质的实践活动。作为中华优秀传统文化，将传统音乐类非遗纳入学校教育体系，具有必要性和紧迫性。一方面，作为教育资源，传统音乐类非遗是当代民族文化建设的根基，其作为中华优秀传统文化的自身禀赋，是落实立德树人根本任务、延续文化精神根脉的重要基础；另一方面，学校规范性教育传承的标准性和权威性，使得传统音乐类非遗传承的流程趋于规范，传承的内容得到提炼，传承的对象（即受众群体）愈加广泛，有利于其在当代环境中生存和发展。

在众多学校规范性教育传承案例中，江苏省昆山市亭林小学（原千灯中心小学校）的昆曲教育传承为传统音乐类非遗的学校教育树起一面鲜明的旗帜。江苏省昆山市千灯镇是昆曲艺术的发源地，在苏州市委和昆山市委的号召下，昆山市着力建设昆曲特色城市。千灯镇政府和教育局积极响应市委市政府号召，着力打造昆曲特色学校。亭林小学于 2004 年 7 月经千灯镇政府专项拨款支持建立昆曲传习班，并将之命名为“小昆班”，从昆曲小演员的选拔、训练、教学、管理、比赛以及开设昆曲相关课程（如画昆戏、诵昆谣、跳昆舞、演昆剧）等等自上而下形成一系列科学、规范的昆曲学校传承体系。昆曲教师队伍建设上采用外聘昆曲艺术家为主、学校教师为辅的方式，坚持以口传心授、口传身授的教学方式。在近二十年的时间里，共获得 25 朵“小梅花奖”金奖、4 朵银奖，

"小昆班"也从一个默默无闻的乡村小学社团逐渐发展成为在省内外有一定知名度的社团。"小昆班"的成功一方面取决于政府的政策号召和资金支持，一方面也取决于学校的昆曲文化建设，形成"政府—社会—学校"的昆曲文化建设联动机制，并且对学校教学设施投入和校园文化建设做出巨大努力，校内设有昆曲文化馆、昆剧团和三个昆曲排练中心，校园里、走廊上以及楼道口随处可见昆曲的介绍和宣传标语，甚至连厕所的标语旁都附有昆曲的卡通人物，全方位营造昆曲存生的语境和传承的氛围。

但值得注意的是，纳入学校教育的传统音乐类非遗，脱离它所赖以生存的语境而转入新的语境（课堂）中，其面向的受众可能包括但不限于原来的受众，即经过语境置换，纳入学校教育的传统音乐类非遗已不再是生活方式的存在。学校教育与民间传承在形式与内容、方式与过程、结果与评价上的差异，必然促使传统音乐类非遗的功能意义、表演形式以及存在样态的改变。因此，在学校规范性教育传承中，应以求真为总原则，在求真的基础上，首先，秉持整体性教学原则，着力解读传统音乐类非遗深赋的文化内涵，让学生充分理解和认识所学内容；其次，在教学内容的选择上要秉持全面性原则，避免因片面性教学内容的选择造成传统音乐类非遗内容上或领域内的话语霸权；再次，在教学过程中要注重价值性原则，注重与社会主义核心价值观接轨为目的的受众培育；最后，在教学评价中要秉持应用性原则，引导学生在真实语境中实践所学内容，实现文化反哺。

四、社会机构与团体舞台性表演传承

现代化和城市化催生的生产生活方式的转变和经济收入水平的提升，使得人们的娱乐逐步多元化和多样化。为适应现代化发展和大众化审美需求，传统音乐类非遗逐步走出原生文化环境，融入新的语境和新的展示空间中，从而催生传统音乐类非遗的社会机构、团体舞台性表演传承。

"保护为主、抢救第一、合理利用、传承发展"是我国非遗的十六字保护方针，各地在非遗抢救与保护的基础上，探索诸多开发与利用的可行之路。传统音乐类非遗作为民族文化的标志性符号，被当作文化资源和艺术形式纳入旅游业与服务业中，加入现代化的舞台表演程式，为游人和宾客表演。"舞台化是传统音乐文化现代化的一个重要标志"[3]：一方面，社会机构、团体舞台性表演传承极大地拓宽了传统音乐类非遗的现代生存空间，融入新的社会文化环境之中，保证自身的生存和延续；另一方面，通过舞台性表演传承，传统音乐类非遗成果植入主流文化系统中，能够充分展示出自身的当代价值，成为民族和地区标志性艺术形式，并不断发展出新的生活方式。

社会机构、团体舞台性表演传承是传统音乐类非遗现代化传播与传承的重要方式，如陕北民歌的旅游开发与舞台化表演。陕北民歌是流传于陕西黄土高原的传统音乐，产生和存在于黄土高原的千沟万壑，并于 2008 年 6 月经国务院批准列入第二批国家级非遗保护名录。受城市流行歌曲的影响，陕北民歌的生存空间被挤压，甚至传承出现断层。为了解决陕北民歌传承的困境，当地政府和有关机构给予高度重视，陕北民歌的团体表演和舞台化传承方式应运而生，商演、文艺汇演、陕北特色饭店、旅游开发等舞台化表演形式，极大地促进陕北民歌的传播，也实现一定意义上的传承和保护。

但值得注意的是，传统音乐类非遗是一种审美文化和生活文化，而社会机构、团体舞台性表演传承的传统音乐类非遗与其他舞台音乐并无二异，其传统象征的、教化的、实用的等多重功能被削弱甚至消失。首先，舞台化将传统音乐类非遗剥离于原有的生存语境，受众群体亦不再限于原来的受众；其次，舞台化不仅导致传统音乐类非遗存在状态及功能意义的转变，也导致其表演方式及原始形态的改变；再次，舞台化使传统音乐类非遗多重功能向单一的娱乐功能转变；最后，舞台化使得传统音乐类非遗得到提炼和规范，形式愈加精致，从而适应当代舞台艺术的要求，并逐步成为部分传统音乐类非遗仿效的对象和标准范本。因此，社会机构、团体舞台性表演传承应以慎变为准则，对传统音乐类非遗的舞台化，应建立在充分的文化理解的基础上，在舞台化表演的过程中，尽量不改变其原初的形态，避免形成"近舞台、远传统"的局面。

（下转第 60 页）

非遗产业化发展的实践机制

——以“胡氏根雕”为例

姚　航　蔡丰明

摘　要：产业化是非遗保护和传承的路径之一，该路径强调以开发促保护，将非遗推向市场，在市场竞争中强化传承。“胡氏根雕”是上海市级非遗代表性项目，通过多年的探索，“胡氏根雕”的产业化发展形成“以政府为主导、以创新为动力、以人才为根基”的实践机制，并通过品牌化和规模化的策略得到进一步巩固。

关键词：非遗；胡氏根雕；产业化发展

作为中华民族悠久历史和灿烂文化的生动体现，非遗具有深厚的历史底蕴和独特的文化价值。然而，在媒介、技术快速发展的背景下，非遗的传承与发展面临着传承人老龄化、技艺传承断层、市场需求不足等困境。如何使非遗在社会中焕发新的生机与活力，如何在城市语境下思考非遗的保护工作，成为当前亟待解决的课题。

“胡氏根雕”是上海市非遗代表性项目，在传承工作中，以徐谷青、胡月明为代表的非遗根雕传承人积极探索非遗的产业化发展路径，建设国家5A级旅游景区“根宫佛国文化旅游区”，组成完整的非遗产业链，是非遗产业化发展的典范。在上海市级传统美术类非遗项目存续状况调研的契机下，研究者与“胡氏根雕”的保护单位及代表性传承人进行座谈。本文通过对“胡氏根雕”产业化发展的具体经验进行梳理和分析，探讨非遗产业化发展的有效路径和机制，以期为非遗的产业化保护与发展提供有益的参考和借鉴。

一、产业化发展的机制

在“根雕之乡”浙江省开化县的大山深处，建有一片占地面积3.03平方千米的宫殿式建筑群，这里就是开化的“根宫佛国文化旅游区”（以下简称“根宫佛国”）。从“制根”“卖根”再到“赏根”，在这里，根雕产业实现了新的跨越。根雕传承人把握住根雕技艺的产业化潜力，厘清资源，走上了一条“以政府为主导、以创新为动力、以人才为根基”的非遗产业化发展之路。

1. 以政府为主导

近年来，非遗所蕴涵的文化价值让地方政府看到了产业化发展的巨大潜力，通过非遗的产业化开发，不仅可以形成具有地方特色的文化产品和文化服务，产生具有市场竞争力的文化产业链，还能促进区域经济的转型升级和可持续发展。[1]在胡氏根雕产业化发展的过程中，政府通过资金帮助和政策扶持的方式，与当地产业发展规划接轨，主导了根雕的产业化发展。

在资金方面，开化当地政府和银行为根雕产业发展提供了大力支持。1991年，徐谷青创办开化第一家根雕厂——衢州醉根艺品有限公司。在根雕厂成立之后，传承人很快遇到资金短缺的困境，根雕的原料价格高昂，处于发展初期的醉根艺品公司无力支付原材料的货款，濒临破产，开化政府看到困难后，与当地银行积极协商，最终公司获得800万元的金融贷款，得以顺利脱险。2021年，根宫佛国实现开化县

作者简介：姚航，上海师范大学民俗学硕士研究生；蔡丰明，上海社会科学院文学研究所研究员。

国资的绝对控股，醉根艺品有限公司也纳入开化国投集团管理，开化根宫佛国文化旅游区已获得信贷支持达 7.7 亿元。

在政策扶持上，县、市、省三级政府为根雕产业发展保驾护航。“世界根雕在中国，中国根雕看开化。” 2001 年，开化县被国家林业部授予“中国根雕艺术之乡”的称号。在这样的契机下，根宫佛国景区规划应运而生。2007 年，“中国 · 根艺美术博览园”一期景观开始对外开放。2010 年，博览园申请创建 5A 级景区，开化举全县之力，从根雕作品的创作到景区细节的改造，提供人才引进、税收优惠等政策帮扶，景区逐渐改善旅游基础设施，形成高标准的旅游服务水平。开化县所在的衢州市也高度重视，将根宫佛国文化旅游区提升为衢州全域旅游项目体系三大龙头项目之一。同时，开化的根雕产业还得到浙江省委、省政府的大力支持，2013 年，浙江省政府批复成立以根宫佛国 5A 级景区为核心的“开化钱江源省级旅游度假区”规划，开化根雕进一步发展。

目前，开化年产根雕作品约 30 万件，产值达 2 亿元以上，已经成为浙江省根雕产业的重点集聚区。此外，开化还持续优化根雕产业规模，推进具有“低、小、散”特征的根雕家庭作坊进行改造升级，重点培育 30 多家根雕企业，全县根雕从业人员达 2200 余人，形成规模化的根雕产业集群。在此过程中，政府起到引领作用，为当地经济发展和非遗根雕的传承保护做出巨大贡献。

2. *以创新为动力*

“胡氏根雕”通过产品创新、审美创新等多种方式，推动非遗项目的传承与发展。

“胡氏根雕”的创新性首先体现在产品的研发上。胡氏根雕注重内涵和神韵的表现，遵循“象形取意、意在形外、尊重自然”的宗旨，故构思独特，创作题材广泛。根据原材料的尺寸和形状，在大小上既可以做大型的艺术雕塑，适合政府、大型公司等场合，又可以制作小型家居摆件，具有广泛的商业价值；在形状上，胡氏根雕的设计更是千变万化，可塑性强。在产品开发的进程中，胡氏根雕传承人徐谷青将现代工艺技术与根雕的传统技艺相结合，制作家具、摆件等根雕制品，创新出两百多种根雕工艺品，多次在中国国际民间艺术、国际民间手工艺品等博览会上获得金奖。根雕产品还被广泛销往海内外，逐渐为越来越多的人所熟知。

胡氏根雕的创新性还体现在其对审美的独特追求。胡氏根雕传承人胡月亭认为，胡氏根雕的产业化发展是在传统与现代审美相结合的情况下进行的。根雕产品在市场上能够迎合大众的审美，主要是由于其带有精致和实用的特征，既能实用，又能让人产生美的享受。胡氏根雕开发出一系列以根雕艺术为主题的文创产品，如根雕摆件、根雕茶具等，这些文创产品不仅具有浓厚的文化内涵，还符合现代人的审美需求，在市场上获得了广泛的认可。

3. *以人才为根基*

非遗高素质产业化人才队伍的培养是一项系统的任务，它涉及非遗传承、市场运作等多个方面。“胡氏根雕”的产业化发展建基于丰富的人才资源，主要体现在传承体系的建设、人才质量的提升和文化责任的树立上。

在多年的发展中，“胡氏根雕”形成传承人为核心的传承体系。目前胡氏根雕的传承人数量已达百人之多。胡仁甫之子胡月亭和胡月明都是胡氏根雕的传承人，胡氏兄弟自幼随父学习根艺，在全国性的根雕展出赛事中屡获佳绩，受到国内外根艺收藏家们的广泛关注，在行业内有许多兼职：胡月亭被推举为中国工艺美术协会根雕专业委员会的常务副会长、上海市工艺美术学会根雕委员会艺术顾问；胡月明任上海根雕艺术协会会长，上海工艺美术学会根雕专业委员会主任，中国工艺美术协会根雕专业委员会副主任。

“胡氏根雕”注重人才的培养，通过与学校合作、挖掘社会资源的方式建立协作机制。根宫佛国与衢州学院、开化职教中心等学校开展合作，通过实习等方式培养高素质根雕人才。多年来，胡氏根雕的多位传承人被授予“工艺美术大师”等称号，有的还是当地相关行业的会长、协会的领头羊。正是在浙江省工艺美术大师徐谷青的支持下，根宫佛国才得以建立。依托丰富的行业资源，胡氏根雕的传承人之间互相切磋学习，在遇到困难时互相帮衬，对行业信息进行及时共享，形成高效的创作联合体。

“胡氏根雕”的传承人重视文化责任在非遗

传承中的作用。2020年，胡月亭成立上海仁甫文化艺术发展中心，作为弘扬根雕文化的基地，定期组织根雕从业者进行交流。“老牛明知夕阳短，不待扬鞭自奋蹄”，65岁的胡月亭用这句话来勉励自己，从业多年，他从没有停止创作的脚步。在他看来，学习根雕最重要的是其中的人文情怀和乐趣。在根雕的制作中体验生活的酸甜苦辣，既带来经济收入，还体现个人的价值，这才是非遗传承的意义。正是由于对文化根基的重视，“胡氏根雕”的产业化发展才免于落入商业化的窠臼。

二、产业化发展的品牌建设措施

从胡氏根雕产业化发展的经验来看，品牌建设是其推动发展的关键要素。传统工艺美术的“IP资源开发”是非遗文化由资源变资产、遗产变财产的产业化发展关键途径。[2]品牌的树立可以高效地进行非遗传承和发展，将非遗资源转化为具有市场竞争力的文化产品，实现非遗项目的经济价值和社会价值。回顾根雕的产业化历程，其品牌化建设是通过挖掘文化内涵、多元渠道进行品牌经营和积极举办文化活动逐渐完成的。

1. 挖掘文化内核进行品牌定位

从品牌定位的角度来看，根宫佛国深入挖掘自身的文化内核，将根雕艺术与佛教文化相结合，形成独特而鲜明的品牌文化特征。该定位不仅凸显根宫佛国在非遗传承方面的独特价值，也为其在激烈的市场竞争中赢得独特的竞争优势，为品牌的长期发展奠定坚实的基础。

2. 品牌经营推动产业发展

借助多元化的传播渠道和创新的宣传策略，非遗品牌可以将信息充分传递给目标受众，打造立体而鲜活的品牌形象。多年来，通过品牌经营，胡氏根雕传承人的品牌先后获得“衢州市著名商标”“衢州名牌产品”“浙江省知名商号”“浙江省著名商标”“浙江省名牌产品”等荣誉称号。“醉根及图”的注册商标被评为“中国驰名商标”，品牌属性得到凸显，拉动了根雕产业的发展。

3. 承办文化活动扩大品牌影响力

依托丰富的产业资源，根宫佛国先后承办了中国（开化）根雕艺术文化节暨“一带一路”国际根艺文化交流周活动、醉根杯现场创作大赛、醉根论坛等一系列国内外大型根雕文化艺术交流活动，吸引国内外众多根雕从业者前来参赛。2023年，依托第十一届中国（开化）根雕艺术文化节举办的契机，根宫佛国同时举办“一带一路国际旅行推荐官”聘任仪式、“根你放光彩”高质量发展沙龙对话等活动，得到大批观众和央广网等媒体的关注，网红主播通过抖音直播平台带领广大网友“云”上看节。在短短两个小时内，线上观看数突破44万人次，收获61万次点赞。

从“胡氏根雕”的发展经验中可以看到，非遗品牌的建立是一个综合性、系统性的过程，需要通过品牌定位、品牌经营和活动传播等多个方面的策略和行动，才能实现品牌的崛起和持续发展。

三、产业化发展的规模化策略

通过提升生产效率和提供发展平台，非遗产业的规模化能够为非遗传承注入新的活力，推动非遗在现代社会中焕发新的光彩。在胡氏根雕传承人发展根宫佛国的历程中，产业规模化的主要策略表现在建立非遗产业链、发掘文旅特色产业、确立行业标准三个方面。

1. 建立完整的非遗产业链

促进非遗产业化科学发展，需要改变分散、盲目、封闭、守旧的局面，集聚和整合非遗项目各环节的资源要素，构建和发展具有特色文化品牌的非遗产业链。[3]在多年来的产业化探索中，根宫佛国通过一系列的文化创新和产业拓展，形成涵盖采购、生产、销售、研学、文旅等多个环节的完整非遗产业链。

原料采购是非遗产业化生产环节的起点，其质量和成本直接影响到最终产品的品质和市场竞争力。根宫佛国内的创作者们每天要制作大量的根雕作品，原材料消耗量极大，为保证原材料的供应，根宫佛国与多个大型木材供应商建立长期稳定的合作关系，以满足生产需求。规模化采购不仅降低采购成本，也提高采购效率，为企业的持续发展提供有力保障。原料的质量是高水平根雕制作的基础，徐谷青、胡月亭等根雕大师经常亲自带队，对原料进行严格筛选，确保所采购的木材具有独特的纹理，形态和色泽符合根雕创作的要求，保证胡氏根雕产品的独特性和艺术价值。

生产制作是产业链的核心环节。为了适应规模化生产，在生产阶段，根宫佛国建立完善的品质监控体系，对原料、半成品和成品进行严格的质量检测，确保产品符合相关标准和消费者期望。

在销售环节，胡氏根雕的作品通过线上线下渠道相结合的方式，将根雕作品推向国内外市场。在线下，根宫佛国成为展示和销售根雕作品的主要平台，招徕了许多游客和爱好者前来观赏和购买。在线上，通过电商平台和社交媒体等渠道，根雕作品销往全国各地乃至海外市场。

2. 确立统一的行业标准

一个统一的行业标准是产业化发展的首要前提。自20世纪80年代以来，中国根雕行业发展迅速，在全国范围内形成一个独特的民间根雕文化产业链。但随着根雕事业的快速发展和从业队伍的不断壮大，从业者们逐渐意识到，行业需要一个统一的制作和评价标准。没有规范的教材和制作工艺标准，就无法开展现代学徒制教学；没有统一的用料和制作标准，虫蛀、开裂、变形、腐烂等情况频发，根雕作品难以保存，严重影响根雕行业的发展。

2016年，中国工艺美术协会根雕专业委员会在开化成立，该委员会的总部就设立在根宫佛国。面对行业缺少统一标准的问题，胡月亭接受根雕专业委员会的委派，组建根雕制作标准撰写团队，在全国各根雕制作地进行细致的考察，结合实际情况，制定出根雕行业的制作标准。该行业标准的内容包含根雕的产品分类、设计要求、选材要求、工艺要求、检测要求、产品质量要求及试验方法，还规定了标志、包装、运输、贮存和质量承诺等根雕设计制作交易等全过程要求，是中国第一个传统技艺标准，具有首创性与先进性。该标准的发布对根雕制作技艺的传承、根雕产业的健康发展、规范根雕产业的市场秩序等方面都有着关键的意义，为根雕行业的产业化发展提供坚实的基础。

3. 拓展特色文旅产业

根宫佛国注重文旅产业的发展。在旅游区内，设有可供实操的研学基地，为游客和爱好者提供学习和体验根雕艺术的机会。在2023年的“五一”假期，根宫佛国设计“全域空间”演艺的项目体系，将传统文化元素与现代展示方式相结合，推出“梦回汉唐，百秀根宫”全天候大型沉浸式表演。在不同时段、多个场景推出“舞蹈、情景表演、行进式巡游、杂技、快闪”等多元表演形式，丰富游客的旅行体验。

根宫佛国还发挥文旅产业的平台作用，在周边地区集聚以根雕销售、旅游购物和住宿餐饮等服务业为主的企业355家、个体工商户451家，带动周边就业近万名，为当地的经济发展带来强劲的文化动力。

四、结语

胡氏根雕生根于海纳百川的海派文化土壤，半个世纪间，几代根雕传承人怀着匠心精神，于几尺天地间耕耘不辍，其背后所蕴涵的人文价值生生不息。“胡氏根雕”的产业化发展不仅带动了地方经济的发展，也为非遗的传承和保护注入新的动力。同时我们也应意识到，非遗的产业化发展必须坚持以本真性、原生态保护为前提，注重经济效益与社会效益的统一。展望未来，非遗的产业化发展具有广阔的空间和无限的可能，传承人和各方应继续探索和实践非遗产业化的新路径、新模式，推动非遗与现代社会的深度融合，让非遗在现代社会中焕发新的光彩。

参考文献：

[1] 陶丽萍，李技文，俞钰凡．乡村振兴背景下湖北非遗文化产品创新开发研究[J]．湖北民族学院学报，2019(2)：136—142.

[2] 刘中华，焦基鹏．文旅融合背景下海派传统工艺美术IP资源开发策略研究[J]．浙江大学学报，2022(1)：126—135.

[3] 张秉福．我国非物质文化遗产产业化的科学发展[J]．甘肃社会科学，2017(6)：244—248.

炒揉七诀千里翠，洞庭传家碧螺春

——“碧螺春制作技艺”国家级代表性传承人施跃文访谈

受访人：施跃文　采访人：栗天依

摘　要：施跃文是第三批国家级非遗项目“绿茶制作技艺（碧螺春制作技艺）”唯一的国家级代表性传承人，获得洞庭东山“茶王”称号，制茶手艺精湛。20年来，施跃文带领全村300户老百姓通过制茶解决生计问题，提高收入，在非遗传承的道路上迈出坚定的步伐。访谈施跃文的学茶经历、碧螺春制作技艺的流程、技艺传承问题及创新，以期了解碧螺春背后的故事及制茶文化，探源中国茶的文化基因组分，为非遗的保护传承做好基础准备工作。

关键词：碧螺春制作技艺；施跃文；非遗；传承

中国是茶的故乡。中国人与茶结缘已有四五千年的历史，常盛不衰。现如今，大众对于蕴含儒道释诸派思想的茶文化已了解颇丰，而其背后的传统制作技艺则更应被普及。

2022年，“中国传统制茶技艺及相关习俗”列入联合国教育、科学及文化组织人类非物质文化遗产代表作名录，中国茶与世界共享。

碧螺春茶产于江苏苏州太湖洞庭山，俗称“吓煞人香”。2011年，“碧螺春制作技艺”被列入国家级非遗名录。碧螺春制作流程繁杂，从鲜叶到干茶全靠一双手控制，是至今为止，中国茶中少有的依旧保留着传统手工制茶技艺的茶种。

2018年，施跃文被评为国家级非遗碧螺春制作技艺代表性传承人，且是目前该项目唯一的国家级传承人。其出生于制茶人家，祖上三代全部从事碧螺春的种植与制作。2005年，施跃文在洞庭东山建立碧螺春茶叶合作社，发展至今天的“东一茶舍”，用制茶事业帮助众多村民解决生计问题，是当地家喻户晓的“茶王”。本文根据笔者于2024年2月对施跃文进行的现场及电话访谈整理而成。

一、“学”茶：天成偶得之巧

笔者：据我所知，您家里有几代人都是从事的碧螺春制作的行业。那么首先想了解一下您自己为何会选择走上制茶这条路，以及您的祖上具体是如何传承下来这一手工艺的呢？

施跃文：我是从小就跟我奶奶学的。1967年前后，一位中央领导的秘书从上海到苏州东山要拿礼品茶，我奶奶就在东山的雕花楼炒了一斤茶叶，那时候她也给朱德将军炒过茶。后来到了1980年，我奶奶还靠着炒茶获得了“三八红旗手”的奖章。再往前追溯的话，我奶奶做茶的本事是跟她的爷爷学的，她的上一辈是给朝廷做贡茶的，到了我奶奶这一辈就一直在做碧螺春和养蚕的营生。那时候我们那边的碧螺春产量是不多的，听我奶奶说，一个碧螺春生产带一季下来只能产不到200斤的茶，整个东山也只有不到500斤的茶叶。所以春天的时候，家里既要做碧螺春，又要养蚕。

其实在我们家里男人基本上是不会做茶的，在我奶奶做茶的时候，家里只有我母亲和几个婶婶会做茶叶，男人在农村都是做苦

作者简介：施跃文，国家级非遗项目“绿茶制作技艺（碧螺春制作技艺）”代表性传承人；栗天依，天津大学冯骥才文学艺术研究院硕士研究生。

力的。而到了我这里，一方面我喜欢碧螺春茶叶的香气，另一方面是感觉做茶叶的手法很好玩，所以我就和奶奶学习了做茶。我从8岁开始跟奶奶学习用柴火灶烧火、炒茶。到了将近10岁，开始和奶奶学习搓团。那时候我们也没有什么玩具之类的娱乐方式，就看着大人怎么做茶，我们也抓一把茶叶跟着搓团，做着玩。再到后来就这样搓团、杀青，一步一步地学会了。在农村，我们一般到15岁就开始劳动了，所以我15岁就开始自己独立做茶。

问：我了解到您很早就在东山建立了自己的碧螺春茶叶合作社，一直发展到现在的“东一茶舍”。当时是怎样一个契机建立合作社呢？您是以怎样的一种心境去建立这个合作社的？以及在建立初期有没有遇到什么困难？

施跃文：2004年，我在东山碧螺春炒茶的擂台赛上得了第一名，获得了“茶王”这样一个名号。2005年，苏州吴中区有一个政策，有3个公司可以开合作社。那时候我就开了一个合作社，让全村的百姓都进来，一方面帮助他们销售茶叶、提高收入；另一方面还能让他们过来学习做茶叶。当时政策有一条规定，如果合作社成员达到200人就会得到政府补贴，如果达不到的话就没有，我们的合作社刚刚成立时成员就达到了350户。因为那时候村里的经济条件不是特别好，所以我就提高价格收购老百姓的茶叶，比方说外面收购茶叶100块一斤，我就按200块一斤收购。我自己的利润少一点没关系，主要是老百姓高兴就可以了。

二、“制”茶：炉火纯青之技

笔者：您是“碧螺春制作技艺”的国家级代表性传承人，能介绍一下这技艺中所包含的流程步骤有哪些吗？

施跃文：碧螺春制作技艺主要分为7个步骤：采摘、挑拣、摊放、高温杀青、揉捻、搓团、文火干燥。

“采摘”是第一步，我们洞庭山碧螺春茶的鲜叶是分批采摘，要提采，不能掐采。采的茶叶也要有选择，雨水叶、病虫叶、紫芽叶和剥芽苞都是不采的。每一批采下来的碧螺春鲜叶嫩度、匀度、净度、新鲜度都应该基本保持一致。

最早一批碧螺春本来是在每年3月28日准时开始采摘，但是最近几十年出现了气候问题，碧螺春早茶（小山种）的采摘时间已经提前到每年的3月10日左右。晚茶（小叶种）要到清明节前才会采摘，比早茶的口味要浓厚一些。采摘这一步比较辛苦，每天早上三四点就要开始采了。

第二步是“挑拣”，这步很好理解，就是把采下来的茶叶细致地精拣一遍，达到长短整齐一致就可以了。

第三步是“摊放”，我们有摊放用的竹匾，把上一步拣出来的新鲜的茶叶薄薄地摊在上面，摊四五个小时。

第四步“高温杀青”才算是正式开始用锅炒茶，首先要烧火，把锅烧烫到300℃。紧接着把嫩芽放到锅里用手翻炒，这个过程中锅的温度会达到500℃，要注意刚刚下锅的嫩芽不能太用力。炒的过程中手不能离开茶，同时又要感受温度，掌握火候。

第五步是“揉捻”，这一步要让锅的温度降下来，降到差不多70℃。一边揉，一边抖，一边炒，不能把茶叶揉烂了。先轻后重，这样就能把茶叶揉透，让茶叶的汁水溢出来，充分挥发碧螺春的茶香。揉捻这一步就是让嫩芽开始卷曲的步骤。

第六步是“搓团”，也可以叫“搓团显毫”，因为在这一步会把茶叶搓出细小的茸毛。在上一步揉捻到茶叶有七成干度的时候就可以开始搓团了，把茶放到两手掌中间搓，每搓4—5转解块一次，边搓团、边解块、边干燥。

最后一步就是“文火干燥”，边轻揉边焙干，锅的温度控制在40—50℃，放桑皮纸用文火烘至足干，大概6—8分钟。到了茶叶有触手感的程度就可以出锅了。

笔者：碧螺春制作有这么多道流程工序，您认为其中最核心的、对碧螺春成品茶叶起决定性作用的环节是什么呢？

施跃文：最重要的就是烧火，控制温度。我们做碧螺春就是要先学烧火，你了解了锅上面的温度就知道了怎么烧火。一般我们高温杀青要烧15分钟，锅持续用大火烧15分钟就会增高300℃。杀青时间基本上需要10分钟，这个过程中高温就会慢慢降下来，从300℃高温降到150℃左右。10分钟之后开始揉捻，揉捻的时间大概在20分钟。揉捻后面的一个步骤就是搓团，搓团7—8分钟，温度要控制在50℃到60℃之间。这样算下来一锅茶叶做出来需要50多分钟，虽然整个碧螺春制作的步骤没有写烧火这一步，但是每一个步骤都离不开做茶人对温度的掌控。所以我们会说，碧螺春炒茶讲究“七分烧火三分炒”。

我在教学的过程中就能发现有的学生做得比较专业，但有的学生看着就不想学，怕吃苦，怕火烫。我们这个做茶叶的技术最重要的就是掌控温度，通常说炒茶需要200℃，但其实只是恒温200℃，下面的温度能达到500℃不止，所以这个茶叶倒进锅里就会噼噼啪啪地跳起来。虽然温度很高，但是手不能离茶，这是有技巧的。我们当时学的时候都是徒手炒茶，但现在很多人做茶都很怕烫，所以后来就慢慢演变成了戴手套炒茶，这个情况对于这项手艺来说多少是有影响的。

笔者：“碧螺春制作技艺”是在“绿茶制作技艺”之下的一个子项目，您觉得碧螺春制作技艺和其他的绿茶制作技艺相比有什么特殊之处吗？

施跃文：碧螺春茶为什么在早先被称作“吓煞人香”？这里面是有两个原因的。这香气可不只是茶叶的香气，还融合了柴火香和果香。第一点具有柴火香是由于“阳火炒茶”。“阳火”指柴火，“阴火”指煤气或电，阳火和阴火做出来的东西是不一样的。我打个比方说做一道红烧肉，用柴火烧出来的就比用煤气罐烧出来的好吃。手工做碧螺春烧火的时候都是用柴的，所以碧螺春做出来后茶香中还掺了柴火的香气。第二点具有果香是因为它的制作不仅得益于炒茶环节的手工艺，还包括它的种植方式。东山出了名的就是碧螺春和枇杷树，我们其实不是单单只有枇杷树，还有板栗、柑橘、杨梅，以前的古树多得不得了，那时候我们东山被称作一个“花果山”。碧螺春茶种在下面，上面种那些果树，这个农业种植方式（中国重要农业文化遗产“江苏吴中碧螺春茶果复合系统”）出产的碧螺春是独一无二的，和炒茶的非遗手工技艺一起都是制作出好茶的重要因素。

三、“传”茶：历久弥新之责

笔者：您从2004年成为东山人人信服的“茶王”，到2017年成为“碧螺春制作技艺”这一项非遗唯一的国家级代表性传承人，很多人都在您的影响下将碧螺春制作变成了自己的事业。您在这中间都是通过什么途径把这门手艺传承下去的呢？

施跃文：最早在20世纪90年代的时候，整个东山碧螺春茶叶的年产量只有不到500斤，我们村里不止我一家做茶的，但是有些人家的茶做出来不好喝，茶叶的卷曲度不达标，他们就来我家向我请教。那时候东山有20%的人家都要到我家来学习，后面他们学成了又有其他人去找他们学习，我们东山这边就是这样你传给我，我传给你的。当时其实还没有带徒弟的概念，就是想着帮隔壁人家多卖点钱，但现在想来这也算是我传承和传播碧螺春制作这项传统技艺的开端吧。

到2011年，我们“碧螺春制作技艺”评为国家级非遗项目了，这个节点让我的责任感又重了一些。我想第一要把传统的东西做好，第二要帮助老百姓提高收入，肩上的担子还是很重的。从那时起我就开始正式带徒弟，大概有十几个。这些徒弟有本村的，也有外地的，甚至有一些比我年龄还大。因为对于做碧螺春来说烧火是最重要的环节，所以徒弟进门我就先教他烧上个两三天火试试看。按照我的规矩，如果你不怕火、不怕累，我就会收你，从入门到学成基本上需要三年。不过无论如何，有想学的人就过来学，不管是年轻人还是老年人，不管是外地人还是本地人，我都很欢迎。

目前我们家还是像之前一样属于家族传承，所以我就把这门手艺教给了我女儿和女婿。我女儿现在对于做碧螺春这个事业很有干劲，每天都在为做茶和建厂房奔波，一心想要把碧螺春做好。就在前不久，我女儿也评上了“省级非遗代表性传承人”，发了代表性传承人证书。看到她现在的状态，不论是作为父亲还是师父，我都感到很欣慰。

笔者：从您传承碧螺春制作技艺的过程中

能明显感受到您作为非遗代表性传承人的责任感，代代传承，生生不息。近年来，国家对于非遗保护和传承的力度逐渐加大，您是否参与过一些政府扶持的非遗传承事业呢？

施跃文：政府方面，江苏省和国家都有一些政策助力非遗传承和进步。

第一个就是“非遗进校园”。现在除了收徒以外，我还在两个学校任职。一个是东山职业学校，我在学校里办了一个非遗班，在里面教学生们做茶叶，讲茶叶有关的知识。还有一个是南京溧阳的江苏农林职业技术学院聘请我做校外导师，一年去一次，一次教两周。那个学校是有茶园的，所以我过去就不仅教学生制茶的技术，也会教他们如何种植茶树、如何管理茶园。有一个学生十分好学，给我的印象比较深刻，他的家里也是做绿茶的，我就一直教他，到现在有两年半了。周末他会来我这边现场学习，放假回家的时候我就会发视频教他。

第二个是江苏省组织的非遗培训班，也可以说是短期的“非遗进校园”。每年政府都会安排我去不同省市的学校讲课，比如去年去了浙江的学校，通过视频和实际操作的形式给学生讲“碧螺春制作技艺”这项非遗相关的知识。

第三个是传承人研修班，这个是国家的政策。在研修班里有全国各地的非遗传承人碰到一块，一起学习。我在传承人研修班里遇到了很多做其他品种绿茶、红茶、黑茶的非遗传承人，有云南的、浙江的、贵州的、广西的、江西的、安徽的等等。我们会把自己家里的茶叶拿过来互相品鉴，探讨制作茶的手艺，这个过程中就会针对自己的茶做一些借鉴和创新。

笔者：我之前来洞庭山的时候也去了西山，那边的镇子上也有不少碧螺春茶的个体工商户，商户外面有老板在现场炒茶。西山上也种了成片的碧螺春，还和旅游做了一些文旅融合的工作，开发了很多碧螺春采摘的活动项目。但我只了解您是东山的非遗项目代表性传承人，西山的碧螺春制作技艺是和东山同时发源的吗？这两边有什么传播关联吗？

施跃文：碧螺春最早在清朝是只在东山种的，那时候西山是没有碧螺春的。因为早先西山那边是一个孤岛，交通不方便，农民要是想要到镇上去都需要撑船的，直到1995年西山开始造西山大桥才开始有人员流通。后面到了大概2009年，东山的人家有一些就搬到西山去了，基本都是像我这个年纪的。因为他们都是要靠农业吃饭的，需要学会怎么做茶，靠这个为生，这样一来就把碧螺春制作的技术也带到西山去了。所以很多西山做茶的人家都是我们东山这边的亲戚，自然而然地就把这种做碧螺春的手艺带出了东山，实现了我们碧螺春制作技艺在地域上的传播。

笔者：随着碧螺春制作技艺的良好传承和国家对于茶文化的重视，碧螺春品牌现在已经和一些大企业展开合作，这其中一定也包含着您的努力和付出。

施跃文：我们这几年确实已经开始和一些公司企业合作，比如八马茶业，还会和一些其他的茶叶品种做一些融合。但前几年的时候有一个公司来找我合作，我没有同意。当时那个销售人员跟我说一年要2万斤的茶叶，我说没有这些量的，我只能供应你6千斤的茶叶，2万斤是不可能达到的。他就暗示我说“可以动动脑筋想想别的办法”，这个话一出来我就果断拒绝了，我就跟他讲了一句话：“你这样做，钱是赚不完的，但我的名声要完了，那对不起非遗代表性传承人这个身份。”做茶不能一味地追求产量和利润，我需要把握好碧螺春茶叶的品质，守好这一份传统手艺。这种有害我们碧螺春名声、有害老百姓利益的事肯定是不行的。

笔者：您作为非遗代表性传承人的担当我们有目共睹！在几十年的传承中有没有遇到什么问题呢？

施跃文：现在主要有一个问题就是外地茶打乱了我们本地茶的市场。前些年别的省市有些地方过来学习了我们洞庭山的碧螺春制作技艺，回去之后也开始在他们的山上种碧螺春，但是他们为了降低成本就把手工制茶都改成了机械加工。我们东山本地人因为既要种茶，又要种果树，基本没工夫做茶叶，一天只能炒个三四锅，不然转天干活就没有力气。所以我们这边个体工商户都在进外地人的茶，这样一来游客过来买的茶就不是我们洞庭山具有花果柴火香气、用传统手工艺做出来的碧螺春了。所以我觉得现在最大的问题就是：碧螺春已经作为国礼走出国门了，但是很多老百姓还没有喝到正宗的碧螺春茶。后面我计划增建茶厂，准备让全国的老百姓都能喝到我们正宗的碧螺春，而不光是国外的人。

笔者：传承对于非遗来说是一项不可或缺的工作，碧螺春制作技艺从清朝流传到现在一直都没有变化，但当下社会正处于一个飞速进步的时期，守正的同时或许也需要一些创新。您认为碧螺春制作技艺需要创新吗？您自己有没有做什么创新呢？

施跃文：我觉得是需要的，我自己也有思考做过一些创新。

第一是品种上的创新。2012 年的时候，我想着怎么能让我们洞庭山四季有茶，就想到了红茶。因为大家都是冬天喝红茶，夏天喝绿茶，所以就想做个碧螺红茶试试看。后来我们聘请了苏州附近做红茶的师傅和安徽祁门红茶的手艺人过来帮我们做指导，和原本的碧螺春相比，在手法上把“高温杀青”的步骤换成了“摊捻”，摊 48 小时之后蒸发掉 80% 的水分，之后就可以揉捻了。我们把红茶和碧螺春相结合，一步步地下来就实现了“绿变红”的一个创新转变，到现在碧螺红茶的销量已经达到老牌碧螺春的一半。

第二是形式上的创新。我们现在做碧螺春是手工和机械两条线同步进行，纯手工全流程做的茶肯定还会继续，但有时为了给经济条件不好的老百姓降低成本就会用到机器。机器不会用在核心步骤上，尤其是烧火控温，机器的加入只是为了给老百姓降低手工成本，完全不会影响最后茶的品质和口感。并且我在教徒弟和传授下一代的时候，一定是教给他们纯手工做茶的技术，不会教他们用机器。所以我们和一些已经完全机械化的非遗项目不一样，守正创新，如果科技能在不破坏原有传统技艺的前提下带来便捷，那也不失为一件好事。

第三是技艺上的创新。我在“揉捻”这一步骤做了一些改良。之前的技艺里揉捻的时候揉几次就开始搓团了，这样做出来的茶叶会偏苦偏涩。后来我就慢慢尝试延长揉捻时间，发现揉捻到让茶叶达到 75% 的干度再开始搓团能做出来效果最好的碧螺春，这时的茶会有一股偏甜的香味，会让茶叶中的果香蜜香全部散发出来。之前有研修班的人员到我这里喝茶，我给他泡了我改良后的茶叶，他说他从来没有喝过这样好喝的味道。我觉得这种技艺上的创新也是对碧螺春最开始的俗称“吓煞人香”的一种致敬，是一种向前看的传承。

（上接第 51 页）

五、结语

我国非遗蕴含着中华民族特有的精神价值和思维方式，是中华民族源远流长的民族文化基因，对其进行保护与传承，根本目的是在继承传统的基础上，在当代甚至未来创造属于我们自己的传统，而我们自己传统的创造需要从更为传统的文化基因中汲取养分。为适应全球化、现代化的进程，传统音乐类非遗也不可避免地促生出多元化与现代化的传承方式。而传统音乐类非遗的现代化传承方式，应根据自身存在形式特点，秉持相应的传承原则，即民间口头性自主传承的尊古与容变原则、国家政策性引导传承的求真与慎变原则、学校规范性教育传承的“整体—全面—价值—应用”原则、社会机构与团体的舞台性表演传承的理解与尊重传统原则，以实现传统音乐类非遗在当代社会的功能整合。

参考文献：

［1］乔建中．论中国传统音乐语境下“非遗”传人的认定与保护［J］．艺术学研究，2019（1）：29—36.

［2］彭兆荣．变迁的文化与固定的地方—文化遗产研究的人类学视野［J］．贵州社会科学，2021（1）：86—93.

［3］赵塔里木，樊祖荫，徐天祥．我国少数民族音乐资源保护与开发的对策研究［J］．中国音乐，2015（1）：10—18.

恩施摆手舞进校园的创新传承实践与思考

段炼娥　付　勤　卢　洋

摘　要：基于国家级非遗项目“恩施摆手舞”的深入田野调查，运用民俗学、舞蹈学等多学科交叉视角，系统分析了其九个核心特色动作，并创新性地结合健身舞的动作组合原理与对称性特征，精心创编九节健身舞序列，不仅保留摆手舞的原生态文化韵味，还赋予其现代健身价值。研究在高校教学体系中实施推广与实践，提出非遗舞蹈创编的新思路，构建健身摆手舞的标准化校园推广模式，为非遗的活态传承提供可借鉴的案例。

关键词：恩施摆手舞；进校园；创编

湖北省恩施土家族苗族自治州来凤县舍米湖摆手堂，建于清顺治八年（1651），是土家族最古老、最大、最完整的摆手堂。摆手舞作为土家先民缅怀先祖、追忆迁徙艰辛的大型舞蹈史诗，其动作取材于生产劳动和日常生活，具有鲜明的民族特色。来凤原有的“大摆手”现已失传，仅舍米湖村还保存着原汁原味的“小摆手”[1]。近年来，恩施摆手舞校园传播与活态传承取得一定成效，尽管已有诸多研究，但针对原生态摆手舞的还原、创新及创编整体性研究仍有很多不足。在全民健身的大环境的推动下，恩施摆手舞与健身舞结合，创编出具有民族特色的健身摆手舞，然而其生存空间仍受现代文化冲击。因此，如何在高校校园中有效传承摆手舞，成为亟待解决的问题。

一、进校园前的专题采风

摆手舞在来凤县的分布，主要集中在百福司镇和漫水乡，尤以百福司镇河东片的舍米湖村传承较为完整且具有原始特色。舍米湖摆手堂仅存石碑两块，为清道光二十七年（1847）和光绪二年（1876）进行维修时所立，可见其历史的久远。摆手堂内供奉着彭公爵主、田好汉、向老官人三座神像。

2023 年 3 月和 10 月，湖北非遗摆手舞专题采风课题组两赴恩施来凤百福司镇舍米湖村展开摆手舞的田野调研和舞蹈原始素材采集工作，对来凤县舍米湖村的原始村落、自然环境以及摆手堂等进行调查研究。课题组对来凤县百福司镇的摆手舞非遗项目展演队的负责人王珊，来凤当地人称“三姐姐”与摆手舞传承人以及舍米湖村摆手舞传承人彭承金进行采访，观看了舍米湖村原生态摆手舞队的摆手舞文艺展演活动。课题组与王珊和舍米湖村的村民在舍米湖村的新摆手堂进行原生态摆手舞 9 个经典动作的影像采集工作，并与采集者进行针对性的访谈。课题组共完成 14 个影像的拍摄任务，并与传承人就摆手舞细节动作进行深入的沟通交流学习，获取了一手的研究资料。

摆手舞动作包括单摆、双摆、回旋摆等，节奏平稳，强弱分明，雄浑深沉。伴奏乐器以锣和鼓为主。这种舞蹈既属于艺术范畴，又具备体育功能，是土家族文化的重要载体。通过采风，课题组对非遗摆手舞动作表征进行提炼。来凤舍米湖村摆手舞的律动特点是顺拐、屈膝、颤动、下沉，对身体的协调性要求较高。顺拐是摆手舞最主要的特征，即甩同边手，它要求手脚配合默契，动作一致，以身体的律动带动手的甩动，手的摆动幅度一般不超过双肩范围，摆动线条流畅、自然、大方。屈膝要求膝盖向下稍稍弯曲一下，上身摆正，脚掌用力，显得

基金项目：本文系武汉职业技术学院校级课题项目“体美融合视角下湖北非遗摆手舞的创编研究”（项目编号 2024YR072）的阶段性研究成果。

作者简介：段炼娥，武汉职业技术学院讲师；付勤，武汉职业技术学院助教；卢洋，武汉职业技术学院副教授。

图 1　湖北恩施来凤舍米湖的田野调研与原生态摆手舞的影像采集的部分素材

敦实、稳健。颤动是脚部与双臂略带小幅度抖动，给人一种有弹性和韧劲的感觉。下沉是指在伴奏重拍时身体有一种向下的感觉，动作沉稳而坚实。

这些扭、转、屈、蹲等动作组合需要全身各部位的肌肉的紧张、松弛交替转换与协调用力，以及上下肢的密切配合。来凤舍米湖村摆手舞的基本摆法是“单摆”双膝微屈，左脚上前一步，双手顺势向前一摆，当双手轻轻摆向后时，右脚即跟着上前半步；再反方向做一次；然后左脚上前一步，右脚上前半步，双手前后轻轻连摆两次；两脚停住，双手前后重摆一次。“双摆”向相反方向再摆一次。农事动作多以“单摆”为主，要表现“栽秧”，双手就做栽秧状等等。农业生产中的动作，都可以吸收到“摆后舞”中来。

二、校园创编健身摆手舞的实践

在当前文化自信与非遗保护日益受到重视的背景下，校园作为文化传承与创新的重要阵地，承载着培育新一代文化传承者与创新者的使命。研究团队开展了一系列校园创编健身摆手舞的实践活动。

1. 预留摆手舞文化空间的创新发展机会

恩施摆手舞在校园传承过程中面临一大挑战，即缺乏传统的仪式空间，这限制了其时间、空间与力量要素的充分展现。为了克服这一难题，课题组采取多维度的创新策略，精心挑选音乐，力求与摆手舞的原生态氛围相契合；同时，不惜成本地还原土家族男性和女性的传统服装与道具，这些服装道具专为恩施摆手舞设计，总价值近万元，旨在重现摆手舞的原生文化空间。此外，课题组还积极运用数字化技术，将舍米湖摆手堂这一文化地标的精神内涵搬上展示与表演的舞台。尽管目前仍处于积极的探索与实践阶段，但这一系列努力已初见成效，为恩施摆手舞在校园中的活态传承开辟新路径。

2. 提供摆手舞跨学科的创新编排视角

恩施摆手舞在跨学科融合的探索中，展现其独特的创新活力与文化传承的深度。通过整合人文、肢体语言、人类学及运动训练学等多学科视角，该舞蹈不仅保留其原汁原味的动作元素，还成功构建标准化推广的坚实学术基础。这一融合策略不仅促进摆手舞在舞蹈学、艺术学及美学领域的深入研讨，还为美育教育与思政教育的内容开发提供丰富素材与理论支撑。在成套舞蹈的创编过程中，科学规范的技术支持确保摆手舞能够以标准化的形式广泛传播，进一步搭建项目化课程与美育育人之间的融合平台，实现传统文化与现代教育的无缝对接。

3. 创编恩施摆手舞的经典动作

研究团队紧密依托恩施来凤舍米湖村摆手舞的经典视频记录，精心筛选出既典型又具辨识度的动作片段，作为创新设计的核心蓝本。在创作实践中，团队创新性地将健身操舞的动作编排逻辑，诸如创新性动作组合、空间方向变化、动作对称性考量等，与摆手舞深厚的文化底蕴相融合，并精心挑选一首融合摆手舞传统韵味与现代健身活力元素的背景音乐《摆手舞》。该音乐的高潮部分以“让我们一起摆起来哟！”为标志性口号，既凸显摆手舞的文化特色，又营造出适合校园环境的积极推广氛围。

此创新设计成功打破传统摆手舞在空间与年龄上的局限，通过健身舞蹈这一新颖载体，探索非遗在校园环境中的创新传播模式与活态保护策略。研究团队在精准保留摆手舞核心动作元素的基础上，巧妙融入健身操舞的设计理念，实现传统舞蹈与现代健身元素的深度融合与和谐共生。此举不仅为摆手舞在校园内的传播开辟新路径，也为非遗舞蹈的创造性转化与活态传承提供宝贵经验与示范。

在动作设计的具体操作层面，研究团队紧密围绕摆手舞固有的九个标志性动作“单摆”“拜年”“撒种”“双摆”“比脚”“擦背”“抖灰”“纺棉花”“磨鹰闪翅”[2]，遵循健身舞的动作编排原则，如动作组合的逻辑性、动作对称的美学要求，将每个特色动作以2或4个八拍为单位进行细化编创，严格遵循健身舞蹈编排的科学性原则，如动作逻辑的连贯衔接、动作设计的对称美学，形成连贯的九节动作体系：“小摆热身”“大摆行礼”“体前中摆”“体转双摆”“跳跃中摆”“旋转大摆”“敲锣中摆”“转身中摆”“小摆放松”，每节动作均强调左右对称的设计原则，以促进舞者身体各部位的均衡发展，并通过空间流动的巧妙运用，增强舞蹈的趣味性与视觉动态效果。在创编过程中，每节动作均从设计意图、构思路径及编排逻辑三个维度进行深入剖析与阐述，如“小摆热身”节旨在通过音乐的激昂号召与初步的摆动动作，激发学生的运动兴趣并有效预热身体；“体转双摆”节则通过身体的转动与方位变化，训练学生的空间感知与身体协调能力；“小摆放松”节则通过降低动作强度，引导学生逐渐放松身心，恢复平静状态。

4. 体现恩施健身摆手舞的具身认知表达

研究团队严格遵循恩施摆手舞的传统“9式”动作序列，秉承“基础动作多元化组合，保持完整性不拆分”的原则，巧妙地将这些动作编织成连贯的舞蹈序列，这一系列设计不仅提升学生的身体空间感知能力，还深化了摆手舞健身舞蹈的具身体验价值。在这一框架下，基础动作间可灵活组合，创造出丰富多变的舞蹈形式，同时确保每一基础动作的独立性和完整性不受损害。研究进一步揭示，具有体育舞蹈或现代舞蹈基础的学生，在演绎恩施摆手舞时，能够自然地融入个人风格，展现出独特的“具身认知”，使舞蹈表演更加融合且富有辨识度。非遗摆手舞的舞台化呈现、健身功能的拓展以及美育教育的实践，不仅让民族历史文化的深厚底蕴转化为观众的心灵共鸣与身体感知，还通过创新的审美表达，为传统注入新的生命力。

随着非遗摆手舞逐渐渗透高校校园，其美学表达也从“文化持有者”的单一视角，转向包括“文化他者”在内的多元视角，[3]这一转变促使舞蹈的美学形态在受众的参与下不断被重塑，以适应时代的发展需求。面对这一趋势，如何在保留非遗舞蹈固有文化精髓的同时，巧妙融入当代流行的时尚元素与先进技术，实现传统与现代的和谐共生，成为未来研究的重要课题。这要求我们在优化中寻求继承，在创新中推动传承，让非遗舞蹈在新时代背景下焕发出更加璀璨的光芒。

5. 提升部分专业学生专业技能与职业素养

研究团队在武汉职业技术学院旅游学院内的空乘与旅游管理专业中进行实践应用，鉴于这些专业对学生掌握多样专业技能的高度要求，具有湖北地域文化特色的非遗舞蹈——摆手舞，被自然地纳入了教学内容之中。据旅游学院的舞蹈教师刘志刚介绍，鉴于每年全国旅游行业基本功大赛对学生才艺展示的重视，学院特别将包含湖北地域特色舞蹈在内的项目视为教学的重要环节。经过一学期的实施与推广，学生们的学习成果显著，不仅掌握摆手舞的基本技艺，还成功地将这一技能应用于全国旅游专业技能大赛中，展现了良好的专业风采。

展望未来，摆手舞的进一步推广应紧密结合旅游学院的专业特性，围绕文化理解与技能提升两大核心需求，设计并开发更具创新性的教学内容与形式。这不仅能够深化学生对本土文化的认知与传承，还能有效提升其专业技能与综合素质，为未来的职业发展奠定坚实基础。因此，结合专业特色，探索摆手舞在教学内容、方法及实践应用上的创新，将是其未来发展的重要方向。

三、健身摆手舞的标准化校园推广模式

恩施摆手舞作为土家族文化的瑰宝，其活态传承与创新发展显得尤为重要，特别是在高校这一文化传承与创新的前沿阵地，如何将恩

施摆手舞的独特魅力与健身功能相结合，探索出一套既符合现代审美又保留民族特色的校园推广模式，成为当前非遗保护与教育领域的重要课题。基于此，研究团队深入探索健身摆手舞的标准化校园推广模式，旨在通过构建文化空间、提供创编思路、推广标准化影响以及提升学生职业素养等多维度策略，为恩施摆手舞在校园中的活态传承与创新发展提供了一套可操作、可复制的实践方案。

1. 营造高校健身摆手舞文化空间平台

为深化健身摆手舞的文化根基与影响力，建议构建一个综合性的文化空间与平台体系，深度融合恩施摆手舞的文化底蕴、自然环境特色，以及地方标志性的建筑风貌、丰富的民族习俗与节庆仪式等元素。随着信息化时代的发展，需要将非遗摆手舞的创新传承与现代科技紧密结合。可打造一个全面反映非遗舞蹈多元功能价值的校园民间艺术资源库，不仅彰显其在当地文化的深厚底蕴，同时拓展其在异地传播与交流的广阔空间。开发并实施一系列线上线下相融合的学习资源平台，包括融媒体应用与在线课程系统，这些平台将打破传统学习模式的时空限制，使恩施摆手舞的学习资源触手可及，实现学习过程的即时性、便捷性与高效性。通过这样的方式，鼓励并吸引更广泛的师生群体参与到摆手舞的学习、传承与创新实践中来，共同推动这一非遗舞蹈在新时代的传承与发展，赋予其鲜明的时代价值与意义。

2. 提供非遗舞蹈的跨界融合创编思路

关于恩施摆手舞在高校中的创新传承实践中尚显稀缺问题，这主要凸显在当地非遗舞蹈活态传承机制构建的紧迫性上。尽管原生态来凤摆手舞遵循着严格的代际传承原则，强调原汁原味的文化传承，但基于其精髓的健身舞创编设计，实为推动该非遗舞蹈在高校教育体系中深化传承与社会广泛传播的有效策略。高校作为文化传承与创新的重要阵地，不仅需与恩施摆手舞发源地建立稳固的学术合作纽带，还需通过拓展非遗摆手舞的文化空间，实现舞蹈形态动作与深层文化内涵的双重传承。这一过程中，高校不仅致力于舞蹈技艺的传授，更注重引导学生深入理解非遗舞蹈所承载的历史记忆、文化意涵与民族精神，确保非遗舞蹈的特殊意义得到根本性的传承与发扬。

3. 推广健身摆手舞的标准化影响效果

在恩施摆手舞的活态传承中，在强调坚守原生态保护的同时，积极探索创新发展的并行路径。基于恩施摆手舞的独特魅力，聚焦于其健身功能的挖掘与提升，通过动作技术的规范化、标准化设计，展开对传统动作体系的精简与精髓提炼的深刻研究。这一过程不仅解构传统摆手舞的动作构成，更在此基础上重构一套既保留民族特色又符合现代健身需求的全新健身摆手舞动作体系。研究率先在高校校园内推广这一创新成果，旨在通过校园文化的活力与影响力，为摆手舞注入新的生命力。随着实践的深入与反馈的积累，将持续优化健身摆手舞的动作设计，力求使其套路动作更加时尚、更具运动性，同时不失民族文化的深厚底蕴，形成一套能够自我迭代、持续进化的健身舞体系。通过这一创新健身舞的普及，打破传统非遗舞蹈的受众界限，将其推广至社会各阶层民众之中，以广泛的参与度和影响力，深化公众对非遗摆手舞身体语言与文化内涵的认知与体验，进而促进非遗的传承与发展，实现传统与现代的和谐共生。

4. 探索提升学生职业综合素养的路径

为了促进旅游空乘、旅游管理、导游等专业学生综合素养的全面提升，团队精心挑选一系列节奏感鲜明、极具感染力的音乐曲目，这些音乐不仅适合户外环境，还能有效激发参与者的热情与活力。在此基础上，以原生态摆手舞的九大核心特色动作为灵感源泉，巧妙编排了九组各具特色、方向多变、路线丰富的组合动作。这些动作设计不仅紧密贴合音乐旋律的起伏变化，还极大地丰富摆手舞的展现形态，增强舞蹈的趣味性和吸引力。更为重要的是，此套编排为学生预留广阔的二次创作空间，鼓励他们根据个人理解、专业背景及创意灵感，对动作进行改编或创新，从而在实践中进一步拓展其专业素养与创新能力。此举不仅有助于学生在旅游服务领域展现更加多元、专业的风采，也为文化传媒大类、新媒体影像等相关专业提供宝贵的开发案例与灵感源泉，促进跨学科知识的融合与应用，为学生未来的职业发展奠定坚实的基础。

（下转第 69 页）

高师音乐教育与“非遗进校园”融合的路径研究

——以大调曲子为例

张庆华　马　奇

摘　要：“非遗进校园”是实现非遗传承保护、高校达成育人成果的有效途径。河南南阳师范学院不断优化高师音乐专业人才的课程设置，以赛促教，加强艺术实践锻炼，搭建三个科研平台，实现较好的融合。大调曲子的传承保护工作，还需要通过在高校中成立大调曲子传承班、开设成体系的大调曲子课程、建设大调曲子数字图书馆、建立校内大调曲子群团组织等多种途径融入高师音乐教育，实现两者的双赢，并为我国高师音乐专业人才培养提供借鉴。

关键词：大调曲子；高师音乐教育；非遗进校园

非遗是中华优秀传统文化的重要组成部分，是中华民族的瑰宝，它记录着中华文明发展的历史，更承载着民族的文化和精神。大调曲子于2008年列入国家级非遗保护名录，是中华优秀传统文化的重要组成部分。二十世纪五六十年代以前，它在中原地区具有旺盛的生命力和影响力，甚至传唱到湖北、安徽、陕西、山西等地。

作为中原地区重要的民间曲艺，目前，在河南南阳地区，有一部分大调曲子曲友还在活动，但与二十世纪五六十年代之前的境况大相径庭。现在的大调曲子日渐衰微、缺乏后劲，曲友迭代青黄不接，大调曲子的传承和保护工作不容乐观。

在新时代背景下，以大调曲子为代表的非遗在面临困境时，高师教育有必要发挥其优势，通过“非遗进校园”的途径，在传承、传播大调曲子方面做出积极的贡献。

一、大调曲子融入高师音乐教育的背景和价值

一直以来，党和政府高度重视非遗的传承和保护工作。一系列政策法规的出台，给非遗的保护工作指明方向，为非遗走进校园提供支持。

非遗的特殊性，决定了适合它的保护方式是活态传承，传承和保护的重点在于传承人的培养。将非遗融入学校教育，培养学生对非遗的兴趣，进而自觉地参与非遗的传承和保护工作，是势在必行之路。在学校教育中，高师教育天然地承担着这些非遗的传承和保护工作。高校中的音乐教育专业人才是连接过去与未来、本土与世界的桥梁，在传承、传播非遗音乐文化中扮演着至关重要的角色。他们既是非遗的传承者，也是非遗的传播者，在小学、中学、大学的非遗传承和保护工作中，起着承上启下的作用。

长期以来，我国高师教师教育专业在“非

基金项目：本文系2023年度河南省教师教育课程改革研究重点项目“中华优秀传统文化在高师音乐专业人才培养中的应用研究与实践”（项目编号2023-JSJYZD-032）、南阳师范学院2023年度校级教学研究项目“OBE理念下高校音乐学专业（师范）实践教学模式及运行机制创新研究与实践”（项目编号2023-JXYJYB-35）、2025年度河南省教育厅人文社会科学研究项目“河南筝派四大谱系传承与发展研究”（项目编号2025-ZDJH-790）的阶段性成果。

作者简介：张庆华，南阳师范学院音乐学院讲师；马奇，南阳师范学院音乐学院教授。

遗”等中华优秀传统音乐的课程设置上数量不足，造成大学生——未来音乐教师的认知结构和知识结构不合理，存在重“西”轻“中”的严重倾向。如传统大调曲子曲目多来自历史故事、小说话本、民间传说等，推崇“忠孝节义”“仁义礼智信”，这些品质都是高师人成材的必修课。在高师音乐专业人才培养中融入非遗，对高师人才的道德提升、民族认同感的加强、传承民族艺术、维护文化多样性、提升学生综合素质、促进文化自信方面具有不可替代的作用。

大学校园有着适合非遗传承保护的人文环境：其一，高校有着庞大的知识分子群体，这些群体中不乏传统文化的倡导者和拥护者，很容易达到共情；其二，高校历来注重德育、践行传统、守正创新的教育理念，这与传统文化的思想精神一致；其三，大学校园具有强大的包容力，在这里进行研习活动不易受到负面因素的干扰。通过“非遗进校园”的途径，推动大调曲子与高师音乐教育的深度融合，不仅有利于大调曲子的传承、保护、传播，而且对高师音乐教育专业人才培养有较大的促进作用。

传统的大调曲子文词高雅，用字严谨，注重用典，音律讲究，华中求实，沧桑古朴，反映了人们对“忠孝节义”与“礼义仁智信”的推崇，这是其显著的文化属性，是中华优秀思想中的精髓。将它引入高师教学，是高校实现育人效果的有效途径，更是对此文化精神的维护与传承。

二、大调曲子进校园的教学实践与成效

大调曲子现在只剩南阳这一支还比较活跃，其他地区均相继衰落。南阳师范学院作为南阳地区重要的高等教育本科院校，其音乐学（师范）专业是培养音乐教师的摇篮，承担着为各地中小学输送优秀音乐师资力量的重要任务，同时也肩负着传承、传播、保护大调曲子的重担。

2008 年，随着大调曲子列入国家级非遗代表性项目名录，越来越多的人开始重视、学习、研究大调曲子。南阳师范学院主要在课程设置、演出实践、平台搭建等方面开展了大调曲子进校园活动。

1. 大调曲子走进课堂，不断优化课程设置

最初，南阳师范学院以传统音乐学（师范）专业培养模式为基础，由本院教师在现有的筝、琵琶等技能课教学中，加入板头曲、大调曲曲牌的教学；在《中国传统音乐概论》民间曲艺理论教学内容中，融入对大调曲子的曲种介绍、传承发展、艺术特点、曲目赏析等知识。

对于本院教师不能传授的内容，则以“请进来”的方式教学。三弦是大调曲子伴奏中的主奏乐器，但是学院没有三弦专业教师，从 2009 年 9 月起，学院先后聘请南阳三弦圣手黄天锡、南阳市大调曲子传承人司荣亭和张家华传授三弦技艺，他们长期在院里传授三弦演奏技艺，培养了一批善弹三弦的学生，教学效果良好。有的学生因怀有此种技艺，考上中国音乐学院、中国艺术研究院、浙江音乐学院等院校的研究生。

在板头曲古筝演奏上，邀请了板头曲国家级非遗代表性传承人宋光生给高师学生授课，七十高龄的宋光生老先生说：“第一次到师院上课，我就觉得激动。两百多个年轻的面孔听我弹这些我热爱了一辈子的曲子，我从他们身上看到了曲艺传承的希望。师院音乐学院来的学生有乐理知识，学得更快更扎实。”在大调曲子演唱上，时而会邀请有着“大调曲子皇后”美誉的胡运荣，南阳市说唱团国家一级演员姬玉香、国家一级演员胡希华、郝士强等著名艺术家走进课堂，给学生们示范、教唱大调曲经典剧目，如《一门五福》《宝玉哭黛》《黛玉葬花》《红娘传书》《小姑贤》《萧何月下追韩信》等曲子。

随着学院不断对大调曲子教学和科研领域的深耕，经过十年摸索，在 2019 年 9 月开设专门介绍大调曲子理论知识和演唱的课程《大调曲子弹唱艺术》，并在 2024 年编纂完成配套教材《大调曲子鉴赏》。

2. 以赛促教，加强实践锻炼

由于音乐专业的特点，强调演出实践。每年学院都会积极准备相应的曲子，参加国家级、省级、市级的演出或比赛活动。采用以赛促教模式，学院教师和大调曲子专家共同打磨

演出或参赛作品，用排练、演出的形式带动课堂教学。经过集训，学生们在唱曲、表演、演奏方面的技能迅速得到提升。以赛促教模式运行以来，极大地调动了师生们学习大调曲子的热情和主动性，在演出和比赛的过程中，实现大调曲子的良性传承和传播，同时收获较好的成绩。

2014 年，学院师生参加文化部主办的“第五届全国青少年民族器乐演奏比赛”，演奏板头曲《高山流水》《山坡羊》《陈杏元和番》，并获得特别奖；2023 年，板头曲作品《高山流水》获河南省体育艺术传承项目展示周一等奖。

在大调曲子研习中，学院师生和大调曲子民间艺术家一直在做守正创新的尝试。

2011 年，学院创作排演大调曲子作品《雪中红梅》，准备参加第六届中国曲艺牡丹奖，这是本次大赛中唯一一支大学生代表队。该作品由一位老师和十二位学生一起表演，其中有位山东潍坊学生叫巩亚萍，要唱出大调曲子的南阳味儿不易，排练之余她跟着南阳学生学说南阳话，不到半年，她的大调曲唱得有声有色了。经过师生们的刻苦钻研，这首作品获得提名奖，并受邀代表河南省到京参加“中原风”向党献礼曲艺节目展演。

2012 年，学院以师生表演的大调曲子作品《黛玉葬花》，继续参加第七届中国曲艺牡丹奖，获得入围奖。

2021 年，由学院策划，以习近平总书记填词的《念奴娇·追思焦裕禄》为曲词，南阳市著名作曲家朱敬文、朱敬武等谱曲，在南阳大调曲传统曲牌的基础上创作了作品《念奴娇·追思焦裕禄》，并邀请南阳著名作曲家朱敬武、“曲子皇后”胡运荣、原卧龙区文化馆侯中山、南阳市说唱团国家一级演员姬玉香等南阳大调曲子专家，对作品进行器乐编配与曲子演唱排练指导。该作品先后入选中国曲协“建党 100 周年全国优秀曲艺作品”“第二届大学生曲艺周”，受邀参加中国曲协“向党报告——庆祝中国共产党成立 100 周年优秀曲艺节目展演”，获得河南省大学生科技文化艺术节三等奖，在河南省第三届“赊店杯”鼓曲唱曲优秀作品网络展演。

同年，由学院和河南日报报业集团顶端新闻推出的、以京剧和大调曲子为元素创作的作品《京豫良缘看少年》MV，在顶端新闻客户端、顶端新闻官方微博等平台首发后，迅速燃爆全网，人民日报客户端、光明网、中国新闻网等央媒，河南日报旗下各新媒体平台、中原网、浙江在线等转发，全网总点击量 1.6 亿人次以上。

2023 年，由中共河南省委宣传部、省教育厅、省文化和旅游厅主办，南阳师范学院承办的南阳非遗曲目音乐会。音乐会上演大调曲子《一门五福》《蝶恋花·答李淑一》和板头曲《高山流水》《苏武思乡》等作品。师生们的唱奏质朴优雅，声调时而婉转细腻，时而铿锵有力，既展示了良好的传承效果，又向观众传播了大调曲子艺术。

3. 搭建平台，成果反哺大调曲子保护工作

南阳师范学院依托当地楚汉文化、民间文化资源，以研究汉文化、地方曲艺为特色，建有文化与旅游部“中原曲艺研究基地”“河南省非物质文化遗产研究中心”“河南省首批中华优秀传统文化传承基地——大调曲子”三个研究平台。“河南省首批中华优秀传统文化传承基地——大调曲子”主办的首届和第二届“大调曲子传承发展研讨会”在南阳师范学院举行，众多大调曲子专家和学者参会，大家就如何更好地保护和发展大调曲子这一中华优秀传统文化展开讨论。大调曲子的传承和保护工作在校园里，向着更加有序和良性的方向推进。

在科研平台下，学院获批国家级课题 5 项，省部级、地厅级、校级课题 200 余项，在学术刊物上发表论文百余篇，出版专著、教材 60 余部，这些成果形成合力，又共同反哺大调曲子的传承和保护，实现双向奔赴。

过去，曲友们习惯于每天在茶馆里聚会唱大调曲子，三弦、琵琶、筝为唱曲的人伴奏。比较有名的有石桥田汉茶社、邓州曲艺茶馆、大调曲茶社等。为还原这种大调曲子传唱环境，在板头曲国家级非遗代表性传承人宋光生老先生的指导下，2018 年学院在校内建立“卧龙岗茶社”，并对外开放，学院每周三下午准备好三弦、琵琶、筝、檀板、茶水，欢迎来自

市里、县里、高校的曲友在这里雅集，一起弹唱大调曲子、板头曲。热闹的场面吸引了不少老师和学生驻足观看，等到下一次雅集时，参与大调曲子雅集的人就更多了。

学院与南阳市十五小、南阳市二十三小、南阳市实验学校等中小学建立长期合作关系。每学期学院都有教师到这些中小学挂职实践锻炼，且音乐学（师范）专业的学生每学年和大四时，都要到这些中小学进行短期的教育见习和长期的教育实习。在实践锻炼和实习时，学院的老师和学生在参与中小学的音乐课堂授课和课余的艺术实践排练演出活动中，传授大调曲子的唱段、带领中小学生排演大调曲子节目，开展大调曲子的普及教育工作。高师音乐专业的学生，既实践了教学技能，又促进了大调曲子音乐文化的传播。

大调曲子走进南阳师范学院十多年，走入高师的音乐课堂，促进音乐学（师范）专业的教学改革，探索系统的育人模式，培养了一批批具有大调曲子传承能力的优秀学子，为大调曲子的传承、传播、保护贡献了力量。

三、大调曲子融入高师专业教学实践的反思

在新时代背景下，以“非遗进校园”的方式，将大调曲子为代表的非遗融入高师音乐教育意义非凡。结合大调曲子走进南阳师范学院十多年的实践，有些值得反思的地方，以期望未来对大调曲子传承和保护得更好。

1. 成立大调曲子传承班

非遗的传承与发展，需要技艺高超的传承人。现今大调曲子传承困境中，最重要的是缺少高水平传承人。20世纪50年代时，南阳地区聚集一批高水平大调曲子艺术家，有曹东扶、谢克宗、姚荣之、何义之、武宗岑、王省吾、张尊三、张玉堂、丁五先、滕汉三等，他们的演唱各有特点，带动大调曲子的蓬勃发展，以至南阳地区成为大调曲子的中心。

传承人的培养不是一蹴而就的，高师音乐专业的学生本身就具有良好的音乐知识基础，音准、读谱能力、歌唱方法、器乐演奏技能，这些都是学习大调曲子演唱的必要条件。

在高师音乐教育学生中培养大调曲子传承人，不仅优化大调曲子传承人的培养模式，而且依托高师音乐课程优势，对于有效解决大调曲子传承人后继无力这一困境有很大帮助。

为了更优质地传承和弘扬这一非遗，每学年可从音乐学（师范）专业学生中抽取30—50名对曲艺有兴趣的学生，组成大调曲子传承班。在学校现有的师资力量基础上，聘请大调曲子专家、非遗代表性传承人、高水平的民间艺人长期进入课堂参与授课，提升传承班理论和技能水平，培养一批批具有高水平大调曲子演唱、演奏技艺的后继者，这些学生将成为未来大调曲子传承的中坚力量。

2. 开设一系列大调曲子相关课程

学院现有的《大调曲子弹唱艺术》课程，对于准备培养高水平大调曲子传承人来说还显得单薄。作为民间曲艺的大调曲子，高师传承班的学生应该具有更全面的曲艺知识结构。而且河南地方音乐资源丰富，要利用好河南民族民间音乐文化资源。根据大调曲子学习的需要，在原有音乐学（师范）专业培养的基础上，适当删减原有音乐类课程学分，加大大调曲子相关课程学分比重。增开《工尺谱视唱》《大调曲子鉴赏》《大调曲子演唱技巧》《大调曲子剧本创作》《曲艺史》《河南板头曲赏析》《河南民族民间音乐概论》《河南曲艺精粹》《河南民俗文化》等地方特色浓郁的课程，并形成相应的自编教材，建立完善的曲艺、大调曲子知识技能的课程体系，提高音乐学（师范）专业学生综合素养，为传承人的培养夯实基础。

大调曲子的学习离不开唱、奏的艺术实践。学习大调曲子的场所不能仅限于课堂，更应该去大调曲子的原生环境多看多听，让自己深入其中，时常浸润在民间大调曲子茶馆，多去采风，从而促进艺术实践能力的升华。

茶馆里你方唱罢我登场，非遗代表性传承人从小就在大调曲子茶馆里熏陶，曲子音乐已深入骨血。后续的大调曲子传承者，要想完全继承大调曲子的精髓，到民间学习的经历不可缺少。可见，加强采风、艺术实践课程的建设也很重要。

3. 大调曲子数字平台建设

通过采风、多渠道资料收集，现在学院拥有丰富的相关图书资料和影像资料：纸质图书

24242册、教材或教师教材参考书713册、教学案例106例、电子图书8812册、电子论文3000多篇、大调曲子音像资料6500多个小时、乐谱6000多页、图片资料300多页，已建立豫西南民间曲艺数据资料库。

这些资料对广大师生、曲艺、大调曲子爱好者来说，是一笔巨大的财富，不能共享实属可惜。之后，可由学院主导，建立相应的大调曲子数学图书馆。一是将已经收集到的资料一一数字化，投放到大调曲子数学图书馆，供人们学习使用，尽可能深广地传承、传播大调曲子艺术；二是开设在线互动课程，借助AR虚拟技术，实现大调曲子的情景化创造；三是搭建线上论坛，开辟学生和爱好者分享大调曲子学习心得体会的平台，形成浓郁的互动交流氛围。

这样依托数字化技术，不仅实现知识共享，为学生提供丰富的资源，还可创设大调曲子动态化学习，让学生借助科技的力量，直观感受大调曲子的场景、演奏技艺，并置身在曲友相聚的雅集。

4. 建立校内大调曲子群团组织

学院现有大调曲子的传习所“卧龙岗茶社”，在此唱、奏大调曲子的学生都是音乐专业的学生，还未成立面向全校专门的大调曲子学生社团。因南阳师范学院中河南生源较多，南阳又被称为“戏窝子”，面向全校组建大调曲子社团的群众基础较好，加之，经过前期多年的努力，校园形成崇尚非遗的良好氛围。大调曲子学生社团，以音乐学院学生为成员主体，面向全校学生招收大调曲子的爱好者，扩大“非遗进校园”的受益群体。

四、结语

在新时代背景下，通过“非遗进校园”的方式，将其融入高师音乐教育，这是实现非遗传承保护、高校达成育人成果的有效途径。南阳师范学院经过十五年的努力，不断优化高师音乐专业的人才的课程设置，以赛促教，加强艺术实践锻炼，搭建三个科研平台，其成果又运用到大调曲子教学和艺术实践上，对大调曲子传承保护工作实现了反哺。

当然，“非遗进校园”是一项长期的项目，从前期对大调曲子进校园的成效看，大调曲子的传承保护工作，还需要通过成立大调曲子传承班、开设成体系的大调曲子课程、建设大调曲子数字图书馆、建立校内大调曲子群团组织等多种途径，融入高师音乐教育，达到教育与传播保护、社会文化发展的共赢。

（上接第64页）

四、结语

荆楚非遗的广泛传播，呼唤着传播者具备更为宏大的视野与开放包容的心态。在湖北，非遗摆手舞被创新性地转化为健身舞形式，这一举措极大地促进高校内非遗的多元化传承与发展路径。随着融媒体时代的迅猛推进，非遗摆手舞正经历着持续的创新与改编，以适应并吸引更广泛的受众群体。其欢快的音乐旋律，不仅适合室内外的健身活动，还通过灵活多变的动作方向与路线设计，极大地增强舞蹈的趣味性和吸引力，从而吸引更多参与者和观赏者。这种创新性的传播方式，不仅拓宽非遗的受众基础，也为未来的深入探索与拓展提供宝贵的经验，值得我们在实践中不断深化与创新。

参考文献：

[1] 卢洋，欧亚梅．竞技楚天——荆楚民俗体育[M]．天津大学出版社，2015：8，14.

[2] 陈曦紫．舍米湖村摆手舞研究[D]．武汉：华中师范大学硕士学位论文，2019(5)：61.

[3] 陈龄慧．跨文化的民心相通：新闻传播者的文化厚描观[M]．单波．跨文化传播研究（第一辑）．北京：中国传媒大学出版社，2020：86.

非遗进校园，五育促成长

——以“二十四节气里的幸福生长”课程为例

胡 俊

摘　要：作为一所新开办的学校，上海师范大学附属青浦实验中学以“幸福生长”作为办学理念，开发“二十四节气里的幸福生长”课程，持续通过跨学科、项目化学习的方式挖掘“二十四节气”中饱含的历史积淀、文化内涵和生命智慧，不断在五育融合中探索非遗进校园的路径与非遗传承的有效方法，弘扬中华传统文化。

关键词：非遗进校园；二十四节气；五育；幸福生长；课程

上海师范大学附属青浦实验中学开办于2022年，学校以“幸福生长”作为办学理念，积极开发校本课程，为学生德智体美劳全面发展提供全方位的滋养。为了探索非遗进校园的路径与非遗传承的有效方法，弘扬中华传统文化，学校将办学理念有机结合“二十四节气”文化，以语文学科为主体，融合美术、地理、生物、劳技、音乐等其他学科，开发“二十四节气里的幸福生长”课程，并以项目化、跨学科的方式持续推进、更新，取得了较好的效果。

一、课程设计

在当下的教育教学过程中，依然存在着“重于智、疏于德、弱于体、抑于美、缺于劳”等五育失衡的现象，“五育”的整体性、关联度不够。而以“二十四节气里的幸福生长”为课程名称，课程贯穿一整学年，从而确保课程按照二十四节气脉络推进的完整性和系统性，给学生创造一个沉浸式的诗情画意的学习情境。

“二十四节气里的幸福生长”课程的实施，有利于依照节气变化的天然节奏，突破学科界限，去探索学生的认知规律和成长规律，将加法式的教学思维转变为乘法式整体式的思维方式。有利于创新“五育融合”的教育理念和教学实践，并挖掘各领域各学科资源，有针对性地开展跨学科融合教学，设计连贯持续且包含“五育”内涵的课堂内容，优化教学内容，再造教学流程，提高育人质量。有利于在“五育融合”的过程中培养学生探索、协作、自主学习等学习品质和思维品质，改变过去单科学习碎片化、割裂式的学习方式，以整体性、系统性的思维拓展知识面，培养对多学科的兴趣，建构系统化的知识体系，提高核心素养，实现学生全面发展、整体提升和终身学习的目的。课程目标与内容详见表1。

表1　课程目标与内容

序号	课程内容	课程目标	实施主体
1	观：自然变化	观察与七十二候相关的自然微小变化	全体学生
2	察：节令文化	了解节气渊源、涵义、划分、气候类型、天文纬线、民间习俗、七十二候等相关知识	全体学生
3	绘：思维导图	将了解到的节气知识按照一定的门类做梳理，绘制思维导图	全体学生

作者简介：胡俊，上海师范大学附属青浦实验中学副校长，高级教师。

续表

序号	课程内容	课程目标	实施主体
4	画：美好风物	将观察到的节气风景、物事，以及创作的文学作品，用绘画的形式表达	全体学生
5	演：节气话剧	基于对节气的深刻认知，创编一部节气话剧	戏剧课程班学生
6	说：节气知识	将了解到的节气知识，按照一定的主题进行课前演讲	全体学生
7	读：节气文学	广泛阅读与节气相关的文学书籍，学校推荐 + 学生推荐 + 自选阅读	全体学生
8	写：节气作文	基于对二十四节气相关知识、生命智慧的认知基础上，进行节气写作	语文基础较好的学生
9	创：校园文化	将二十四节气的相关创作，诗词、绘画、书签、团扇、扎染等用于校园环境和网络空间的布置	全体学生
10	作：节气诗词	根据对节气文化的了解，进行诗词创作	全体学生
11	研：生命智慧	突破对节气之外在表象的理解，深入到节气文化的内核，研究每个节气中蕴含的深刻生命智慧	全体学生
12	学：诗意行走	学习节气中蕴含的哲学，将“诗情画意”内化为一种思维方式、行走方式和成长姿态，内化为“雅行”的学风气质	全体学生

二、课程实施

“二十四节气里的幸福生长”课程主要采用集中课时加分散课时的方式，每周1课时集中用于读和写的指导，每天的语文课前5分钟用于节气演讲，在劳动课程、美术课程、地理课程中渗透、穿插相关内容，其他课余时间灵活安排学生观察、创作、研学等活动。

1. 课堂教学

每周在国家课程课时框架内开设1节语文拓展课，用于指导本课程的阅读和创作，引导学生结合自己的实际生活、学习等进行写作、诗词等创作。

每天的语文课课前抽出5分钟时间，进行“我是节气代言人”主题演讲，可以介绍节气特点、分享节气故事、介绍节气风俗、推荐节气诗词，也可以挖掘节气中蕴含的人生启示，不一而足，根据学生的认知特点、理解水平和表达能力自由选择。

联合美术、地理、劳技、音乐等学科教师，开发二十四节气跨学科融合。地理教师组织学生围绕每个节气进行思维导图的手绘，直观地呈现每个节气的气候特点、风俗习惯、历史渊源、物候现象、农事活动等，为学生了解节气积累认知基础；学校在校内开辟学生劳动实践基地“耕读园”，按照二十四节气的劳作规律和天地运行节奏，劳技教师进行劳动实践指导，在基本劳动中将鲜活的素材转化成对二十四节气的深刻理解和灵性表达；英语教师组织学生进行节气英文演讲，与中文创作进行互证；体育教师结合节气特点，研究适合不同节气的运动、养生项目；美术教师组织学生将创作出来的诗歌手绘成形象、直观的画面，制作团扇、书签、扎染等，同时将学生创作出来的诗歌等进行硬笔、软笔等书法作品呈现。

开设诗词指导课，按照节气顺序，组织全体学生在了解节气特点、熟读节气诗词的基础上进行诗词创作，用诗词的形式表达出对节气的独特认识和思考。

开设戏剧拓展课，以“二十四节气”为主要内容，结合学校本课程实施过程中师生的具身体验、成长收获、心路历程等设计、策划、排演一部戏剧，集中呈现本课程综合化立体化的育人指向，以及与学校理念的深度融合，通过戏剧表演的形式提升课程的实践指向性与深度感染力。

2. 课堂延伸

将本课程延伸至家庭教育。在新生入学时就给每个家庭推荐一本关于节气的文学作品，引导父母与孩子一起亲近节气、了解节气，不仅阅读节气方面的文学和绘画作品，也鼓励家长们参与到节气诗画的创作过程中来，引导家长和学生在节气的时间哲学中一起享受成长的无限乐趣，通过家庭和学校共同的托举，让孩子更有节气学习的动力和氛围。

将学生创作的二十四节气作品，包括诗词、绘画、思维导图、扎染、书签、团扇等，用于学校文化建设，装点学校墙面、楼道间、教室、专用教室等，打造“诗情画意”的校园氛围和人际关系。每个季节结束后，挑选出每个节气最优秀的三个作品制作成合集，并在学校官微上进行全网投票海选，选出人气最高的作品，制作成学校墙面文化的一部分予以展示。

三、实施成效

学校持续通过跨学科、项目化学习的方式挖掘“二十四节气”中饱含的历史积淀、文化内涵和生命智慧，不断在五育融合中探索非遗进校园的路径与非遗传承的有效方法，弘扬中华传统文化。

1. 完善遵循节气节奏的幸福四节体系

每个节气节点上，重点开展一项重大活动，并提炼出相应的教育价值观，梳理出基于办学理念、富有校情特色的“幸福四节”体系。详见表2。

表2 “幸福四节”课程体系

幸福四节	节气	重大活动 / 项目	课程版块	价值观
秋之身心愉悦节	立秋	悦读书	人文	立卷诗书，漫阅春秋
	处暑	开学礼	人文、艺术	处实效功，静以消暑
	白露	行规月	人文、健康	白月清风，头角崭露
	秋分	体育节	健康	秋阳杲杲，去就之分
	寒露	选导师	人文	寒冰胜水，金风玉露
	霜降	少代会	人文	霜来露往，幸生福降
冬之迎新设计节	立冬	众筹美	人文、艺术	立壁千仞，诗画暖冬
	小雪	教学节	人文、智科	小试牛刀，流风回雪
	大雪	红歌会	艺术、健康	大寒正浓，红歌盼雪
	冬至	科技节	智科、艺术	冬藏秋收，惊喜将至
	小寒	许心愿	人文、智科	小小心愿，春华木寒
	大寒	贺岁片	人文、艺术	大音希声，抵御严寒
春之人文知行节	立春	开学礼	人文、艺术	立于幸福，生长于春
	雨水	行规月	人文、健康	雨泽万物，上善若水
	惊蛰	英语节	人文	惊雷一声，叫醒伏蛰
	春分	数学节	智科	春至明艳，我与你分
	清明	语文节	人文	清风雅集，和畅朗明
	谷雨	劳动周	健康	谷粒饱满，惠泽于雨
夏之大学社区节	立夏	红展演	艺术	立地顶天，繁盛如夏
	小满	儿童节	艺术、智科	小时了了，盈而未满
	芒种	复习周	人文、智科	芒锋作作，皆源于种
	夏至	做计划	健康	夏日拔节，悄然而至
	小暑	看世界	健康	小见浅闻，行路渡暑
	大暑	爱生活	健康	大观蔚然，知行耘暑

2. 创作蕴含节气智慧的整套诗画作品

每个节气到来之前，组织学生进行节气诗画的创作，遴选优秀的作品进行修改完善，并于节气当天在学校官微上进行推送，形成“诗情画意话节气”原创诗画系列50期。

3. 建构富有节气特征的作文教学系列

在六年级组织语文提高班，开设节气作文课，引导学生细致观察节气之“形”，思考节气之“神”，在“形”处做环境渲染，在“神”处做主旨升华，每两周形成一篇节气作文，经过积累，形成形神兼备的二十四节气作文系列。如“立春”节气之“形”为“草木萌动”，之“神”为“希望”；“惊蛰”节气之“形”为“雷声隆隆”，之“神”为“觉醒”。

4. 举办散发节气韵味的两届诗词大会

每年在世界读书日之际举办语文节活动，两届分别以“诗情画意话节气，幸福校园共生长”和“诵诗悦读绽芳华，幸福校园共生长”为主题，策划诗词大会。师生们在春风送暖、水清岸绿的上达河畔万安桥旁，着汉服，贴花黄，邂逅春光，吟诵原创诗词，品味节气诗意，呈现本课程实施以来在二十四节气知识、素养、能力等各方面的积淀和提升，激发学生了解、亲近、感悟二十四节气的意识和兴趣。

四、后续思考

学校开发“二十四节气里的幸福生长”课程，以项目化、跨学科的方式持续推进、更新，取得较好的效果，当然还有待加强优化的空间。

1. 课程目标需要进一步聚焦

本课程通过不同学科、不同教师、不同课型进行实施，教师们根据自己的学科进行设计和教学，虽然自成逻辑和体系，但是课程的教育目标还不够凸显，不够聚焦，在顶层设计和总体架构方面需要使课程设置聚焦在培养学生的综合能力、提升学生的核心素养、落实学生发展核心素养目标体系的内容上。

2. 育人方式需要进一步改善

本课程在六年级进行实施，大部分的教学内容还停留在“为了知识的教育”，即了解、知晓、懂得等浅思维层面，在推进“双新”的当下，教育教学不能仅仅“为了知识”，而是要立足于二十四节气的独特育人价值，让立德树人根本任务在课程中得到有效落实。需要强化课程的统整，包括语文学科方面，引导和支持学生建立节气知识网络，注重各项语文实践活动之间的联系性和统整性，还要强化跨学科的贯通，让学生在不同学科知识的互动和整合中，融会贯通，灵活迁移。

3. 实施路径需要进一步拓宽

本课程的实施其实是师生与二十四节气打交道的过程，后续学校可以利用好校园周边的公园、场馆等资源，利用丰富的二十四节气教育情境，充满着学习和探究的自主选择性、主动探究性和结果输出的多元性，更有利于激发学生的学习热情。也可以设计相关的任务、活动，将家庭教育的力量也引入其中，在家庭中营造浓厚的节气学习氛围，延伸本课程的时空。

休刊启事

本刊自2016年创刊，已历经8年。其间，多获各界人士和机构的支持和襄助，上海教育出版社、中西书局先后合作出版，增爱公益基金会连续6年资助出版经费，各理事单位以多种形式支持编辑出版工作，我们始终心怀感激之情。文化大家冯骥才先生欣然担任本刊名誉主编，非遗界著名专家学者长期为本刊撰稿，使本刊在全国非遗界获得了不小的声誉，赢得了日见增长的地位。当然，我们也十分感谢我们亲爱的读者和作者，有了你们的关注和关爱，本刊才得以不断前进、发展，奉献了32期沉甸甸的刊物和我们对非遗传承研究的一腔热情。

今天在此发出休刊启事，主要是因为办刊经费难以为继。纵有再优质的大米，但柴薪不足以燃起，烧不出一锅锅香喷喷的米饭。为此，我们在深表遗憾的同时，也隐隐觉得心有不甘。《非遗传承研究》休刊了，但我们大家还要一如既往，砥砺前行，为优秀传统文化的传播、弘扬，为中华民族的振兴、腾飞，努力，努力，再努力！

《非遗传承研究》编辑部

2024年12月25日

用非遗推开“建筑可阅读”的古镇大门

——以2024年金山区文化和自然遗产日活动为例

王　茜

摘　要：古镇是一种特殊的社区空间载体，具有地方特色的建筑风格和风土文化。2024年文化和自然遗产日中，金山区聚焦张堰古镇，结合“建筑可阅读”等历史建筑空间，通过线路打卡、展览展示、非遗市集、互动体验等形式，集中呈现金山区近年来物质文化遗产和非物质文化遗产两大文化内容的传承保护丰硕成果。让静态保护与活态传承在古镇中融合绽放，让二者在相互衬托下得到更好的传承和保护，助力乡村振兴文脉传承，促进文旅融合发展。

关键词：文化和自然遗产日；建筑可阅读；古镇；静态保护；活态传承

金山区历史悠久、底蕴深厚，南濒杭州湾，保留着上海最后一个活着的渔村，两座千年古镇分别坐落于区域中部和北部，非遗的资源类型呈现了海洋文明和农耕文明两大特征。可以说，金山区全域都有着别具特色的属性标签。2024年文化和自然遗产日期间，金山区将非遗置身古镇，打造古镇非遗主题游线，通过别具特色的微游线路、有声有色的体验活动，促进金山区文旅融合，营造出“静态保护”与“活态传承”良好的文化遗产保护双赢局面。活动受众500余人次，产出照片300余张，视频100余段，并先后经《文汇报》、《新民晚报》、上观新闻、看看新闻Knew等多平台报道，取得了良好的社会反响。

一、案例背景

2019年，金山区非物质文化遗产保护中心（以下简称“非遗中心”）在金山区机构改革的背景下，正式从金山区文化馆脱离，隶属于金山区博物馆，非遗中心的文化阵地迁至金山区吕巷镇干溪街258号，干氏宅和徐召来宅的院内（原干巷人民公社员工宿舍旧址）。同年，经修缮后，此地设立为金山区非遗传承展示中心。五年来，非遗中心在坚持“以文塑旅、以旅彰文”的工作宗旨过程中，也在寻找着文博与非遗融合创新的新发展路径。

2024年“文化和自然遗产日”活动，金山区以党的二十大精神为指导，在“保护文物，传承文明”“保护传承非遗，赓续历史文脉，谱写时代华章”两大文化遗产主题背景下开展了以“阅古镇，享非遗，续文脉”为主题的金山区文化和自然遗产日宣传展示活动，这是金山区将文物与非遗融合推广的一次创新性尝试。

二、主要举措

多年来，金山区在非遗工作中，根据自身地域特点，始终努力寻求适合本区发展的非遗工作路线。从稳中求进，到大胆创新；从非遗项目的缺乏，到国家级非遗“小白龙信俗”的诞生。地处上海西南的上海湾区通过不断发掘与创新，打造出不同于以往的文化和自然遗产日。

1. 立足历史古镇，创新非遗传播展示空间

2024年金山区文化和自然遗产日宣传展示活动的举办地聚焦在有着上海十大“中国历史文化名镇”之称的金山区张堰镇，这是个拥有1100年历史的保护区，保留了二十多条大小弄

作者简介：王茜，上海市金山区博物馆（金山区非物质文化遗产保护中心）馆员。

巷，建筑密集紧凑。张堰镇倾力打造“建筑可阅读小镇”，古镇中地面文物共计20处，是金山区文物保护的重点集中区域。

本次活动中，共覆盖古镇点位13处，其中属于文物保护单位（点）的有4处，“建筑可阅读”点位6处，将10类非遗体验项目融入古镇建筑，让市民走进古镇，感受非遗。

2. 发布打卡游线路，开启古镇非遗寻访之旅

活动当天发布“文脉寻访”“互动体验”“古镇骑行”三条微旅行主题游线，面向社会招募线路“体验官”。市民对照古镇打卡线路地图，通过集章的形式完成线路体验并打卡，以兑换具有金山古镇特色的资源体验包。

“文脉寻访”线路覆盖了古镇的6处点位，其中，不乏上海南社纪念馆、吴梁三命坊和陈氏宅等文物保护单位。由“金小博”讲师团的老师带领市民漫步古镇，走访文保点，讲述文物建筑故事，体验非遗项目。“互动体验”线路涵盖了9项非遗体验项目，覆盖古镇中的8处点位。在大隐书局中制作盘扣，在陈氏老宅中体验金山版画印制，在雅乐馆中体验剪纸，在张堰公园中绘画金山农民画扇面、体验宋代点茶等，根据古镇每一处建筑的属性特征，将非遗资源与“建筑可阅读”进行融合。在“古镇骑行”线路中，市民通过骑游的方式，畅游古镇。打卡闻万泰酱菜展示馆，体验酱菜制作；打卡和咖啡，进行一次咖啡品鉴；寻访闻莺坊文创园，学习一段金山腰鼓。活动线路各具特色，营造出文化遗产的浓厚氛围，让市民在适合自己的线路中，感受非遗在古镇的独特魅力。

3. 开展非遗特色市集，促进非遗融入百姓生活

与传统博物馆纪念品商店功能相似，非遗产品集市也是期望能够扩展非遗博物馆功能，促进生产性保护，发挥其在推动地域内产业化非遗项目的商业推广功能。[1]“市集经济”是当下火爆的经济形态，非遗市集作为城市文化的衍生品，越来越受到市民的喜爱。“金山有花头”非遗市集是金山区2023年开始打造的非遗市集品牌，名字来源于金山话的谐音，极具金山区域属性，同时，转译后时尚俏皮的名字亦被“外乡人”所接受。

2024年文化和自然遗产日期间，非遗市集的布置设计在保留本土乡村市集特色的基础上，适当加入年轻化、时尚化元素，“土潮”结合。让非遗展品变为非遗产品，打造接地气且具有区域性的非遗品牌。

4. 举办非遗美食赛事，探索传统文化产业发展新思路

遗产日期间，金山区开展“田园五镇＋毗邻党建，非遗助力乡村振兴”——2024年长三角创意美食烹饪邀请赛，“田园五镇”（张堰镇、吕巷镇、廊下镇、新仓镇、广陈镇）和毗邻党建镇（林埭镇）的12组、共24名选手参赛。参赛单位需完成制作两道指定菜，即响油鳝丝和炒酱瓜丁，而这两道菜都来源于金山区的市级非遗保护项目金山堰菜烹饪技艺和闻万泰酱菜制作技艺，让非遗技艺的在赛事中得到交流与提升。

除了专业的评审之外，活动还邀请了本地的社区居民参与品尝点评，让从百姓生活中传承而来的非遗美食技艺，再次回归百姓生活，做到非遗的活态传承。长三角非遗美食赛事的举办，扩大了金山区非遗的影响力，助推非遗美食技艺的互动交流，探索传统文化产业发展思路，也让非遗传统美食在传承中得以创新。

5. 举办非遗主题展览，看“非遗版”的建筑可阅读

为更好地将物质文化遗产和非物质文化遗产融合，活动期间，金山区举办“‘剪’中建筑·‘纸’间非遗——蔡慧英剪纸作品展”，传承人以金山区代表性的古建、古塔、古桥等为灵感，将非遗技艺与历史建筑相结合，用剪纸艺术讲述建筑故事，传递金山区深厚的人文历史底蕴，让广大市民在享受非遗技艺浸润的同时，感受非遗和古镇结合的文化力量，提高人民群众对文化遗产保护的认识，在文脉传承中传播中国传统文化。活动结束之后，该系列的剪纸作品陆续在区内其他展陈空间中展览展示。

三、案例成效

1. 促进文旅融合发展，开启古镇非遗微旅行

古镇是城市建设中极具特色的城镇景观，具有较强的属地特质，本身就承载着当地的历史文化背景和民风民俗特色。非遗在保护过程中也需要找到合适的传承载体，二者存在着相互作用、相互联系的关系。将古镇的传统文化

资源整合集聚，并将其置于一个较为理想的自然与文化生态环境中，借以实现对镇内各村落与社区中的非物质文化遗产进行整体性保护。[2]本次活动对张堰古镇历史人文资源进行再次梳理，将非遗融入古镇发展规划空间，打造微旅行游线。围绕“建筑可阅读”，推动古镇文商体旅协同并进，促进业态、区域融合，为非遗营造传承传播、创新发展新空间。

2. 打造非遗市集品牌，扩大金山区非遗影响力

每一个品牌都需要具备独特的品牌特性，非遗的品牌特性主要体现的是文化差异的地域性。“金山有花头”非遗市集虽创建不久，但已在金山区多个重要节庆节点亮相，形成了固定的金山区非遗市集“摊主群体”。市集严格把控产品质量，使市集的品质得到提升。市集先后在2024年举办的“中国华服周·沪上繁花”“龙行龘龘”——第三届金山小白龙民俗文化旅游节”“‘金’彩女性，美好生活——金山—平湖巾帼好物市集”“我们的节日”等主题文化活动中大放异彩，作为让金山区非遗“活”起来的重要载体之一，被赋予了长久的生命力。我们也力争将市集品牌打造成为金山区乡村振兴、文脉传承的“新名片”。

3. 推动非遗创造性转化，加强非遗项目交流合作

推动中华优秀传统文化创造性转化、创新性发展，需要切实保护好、传承好、利用好非遗，讲好非遗故事、展示非遗魅力，这样才能不断提升城市的知名度、美誉度，持续增强非遗资源的感染力、生命力，推动非遗资源更好融入现代社会、展现当代价值、绽放时代光彩。文化和自然遗产日是非遗资源集中性展示的平台，在活动当天资源的交汇与碰撞，更有利于加强文化与文化之间、文化与产业之间的交流合作。活动中，古琴艺术与茶艺的文化空间营造、美食技艺与食品产业的创新发展、金山农民画与亭林黑陶的衍生产品创作等的合作形态赋予非遗更强生命力。

4. 激发古镇非遗活力，促进非遗在社区活态传承

活态传承，让非遗历久弥新。非遗的活态包含着两层含义，首先是时代延续并能够可持续发展，其次是相对景观、建筑这样的固态遗产而言，非遗是鲜活的，因此是可以流动、共享的。[3]从非遗的自身角度来说，一个好的传承保护空间的营造，能让非遗的社会评价得以提升，传承人队伍得以壮大，非遗在民众的生活中的必要性得以提升。活动中打造的张堰古镇非遗游线，成功地引导了众多非遗项目进驻古镇特色建筑，通过体验式、沉浸式的方式吸引更多的市民游客参与体验非遗项目、了解非遗故事。活动开展之后，多家旅游公司前来洽谈设计古镇微旅行旅游产品，希望能为张堰古镇带动流量，激发古镇活力，让非遗保护和传承得到延续和强化，促进文化旅游融合发展。

四、经验启示

古镇在文化中浸润，文化在古镇中彰显。千百年来，非遗从古镇村落而来，如今，回归古镇，活在社区，用文化和自然遗产助力乡村振兴，两者更加相辅相成、相得益彰。

2024年文化和自然遗产日活动的成功举办，让非遗与古镇都看到新的机遇，用非遗推开“建筑可阅读”的古镇大门是金山区探寻文旅融合、文化遗产保护的一次创新实践，未来，金山区仍将根据金山区非遗特点合理利用非遗资源，发挥非遗价值，结合非遗的保护与传承，推动文旅产业融合发展。

上海是一座现代感强烈的城市，拥有众多的标志性地标建筑，但也不乏江南韵味、柔情似水的文化古镇，在不同历史底蕴的古镇中体验具有当地地域特色的非遗：走进一个建筑，聆听一段故事，认识一项非遗。期待更多的非遗项目能够携手古镇，创新合作模式，营造出更多非遗公共文化空间，从而强化物质文化遗产和非物质文化遗产的双向保护。

参考文献：

［1］杨红．非物质文化遗产展示与传播前沿［M］．北京：清华大学出版社，2017：276.

［2］蔡丰明．城市语境中的民俗保护［M］．上海：上海社会科学院出版社，2010：220.

［3］马盛德．中国非物质文化遗产保护十讲［M］．北京：商务印书馆，2024：45.

世医故居何书田宅

何维芬　何维珍　何维国

在上海青浦区重固镇通波塘西街，有一栋建于清代的古宅，虽然历经了近两百年的风雨侵蚀和战火摧残，但至今旧貌尚在，依然静静地矗立在福泉山古文化遗址的北麓。它默默地守护着这个逐渐被人遗忘的家园，久久地期盼着早先主人的重新归来。

这座老宅就是何氏中医世家第23代传人、清代名医何书田（名其伟）的故居，一位名噪一时，被民间神化了的中医大家曾经生活、工作过的地方。

2017年2月，何书田宅被青浦区正式列为文物保护点，有了它应有的历史地位。

一、何氏三代和何书田宅

何氏中医世家，自先祖何冉、何彦猷起，世代相传，独步杏林。历经宋、元、明、清、民国至今，绵延千年，传世30代，从未中断，是已知传世最久、家传延续最长的中医世家。

何氏中医世家，源出汴梁，后随宋室南渡，先后落脚镇江和松江、奉贤。清康熙年间，何氏20世孙何王模移居青浦北竿山。至清嘉庆年间，何王模孙何世仁（元长）在晚年移居重固，为何氏世医重固支开端。后其子何书田（其伟）、孙何鸿舫（长治）长居重固。祖孙三代一脉相承，亦医亦儒，治病救人，成为享誉江南、百姓称道的传世名医。

何世仁"尤神望闻之术，治人无算。居竿山草堂，门前舟丰恒塞，衢巷不通"（嘉庆《松江府志》）。

何书田"起疾如神，为嘉道间吴下名医之冠"。[1]民间广为传说"何一帖"即为最好的见证。

何鸿舫"病者求治，户限为穿"[2]，"门外河滨，舣舟如蚁，皆远方之乞诊而来者"[3]。

何氏祖孙三代不但医术高明，而且医者仁心，待人接物温润如玉。

何世仁"窭人来诊，恐其不能自给，还助以药饵资。遇到不治之症，必婉言以慰之，俟其出，密告其从者以不治状，而返其币"[4]。

何书田急公好义，仗义心肠。民间传说助泼皮治穷病，即为例证。

何鸿舫遇"贫无药资者，除了不收诊金外，还在药方上加盖免费给药的图章，可在家设的寿山堂药店免费领药"，而且还常取药案旁钱斗内铜钱送之，让病家买些过药（小零食）减少中药服后口中苦味。

何氏三代江南名医，不仅继承了何氏祖训和精湛医术，而且深受江南文化的浸毓，著书立说，编著了无数医案、医方，为祖国的医药宝库留下了许多珍贵资料。

何世仁自号"福泉山人"，自幼攻读诗书，精治文墨，曾"工篆刻书画"，传世的有《伤寒类辨》《治医要言》《福泉山房医案》等专著。

何书田自号"北竿山人"，早年为诸生，拜王昶（青浦人，官至刑部右侍郎）门下，成年后与当时知名学者文人王惕甫、吴谷人、龚自珍等人以诗会友，传世的有《医药妙谛》《世济堂何氏医案》《救速良方》等名著。

作者简介：何维芬，上海市青浦区盈中中学原校长、高级教师；何维芬、何维珍、何维国姐弟三人，均系何氏世医后人。

何鸿舫自号“横泖病鸿”，字画俱佳，所开药方墨迹，时人以为艺术珍宝，视若拱璧。民国初年，还有人在上海古玩市场求购。他编著的《何鸿舫手术方笺册》《重固三何医案》《医人史续传》等著作亦广为流传，和祖辈、父辈的论著一样，都有很高的医学研究、实用价值。

何氏医著凝聚了何氏世医的学术思想和从医经验，是祖国传统医学的瑰宝。

除了妙手回春、名震江南外，何书田还和林则徐有过一段值得一书的历史佳话。

一是为林则徐夫人治肝病。道光十二年（1832），林则徐出任江苏巡抚，时年腊月，夫人罹患肝病，经友人推荐，林则徐请何书田数次赴苏州为夫人诊病。何书田审慎辨诊，对症下药，很快治愈了林夫人。

二是为林则徐治软脚病。道光十三年（1833）3月，林则徐患软脚病。何书田得知后，立即赶到林府，亲自为林煎药、针慰，令其神速康复。

三是研十八味“戒烟方”，帮助林则徐禁鸦片。林则徐忧国忧民，力主禁烟，何书田身体力行，为之分忧。他撰写了《救速良方》献上十八味药的“戒烟方”，倾全力帮助林则徐禁鸦片。林则徐在湖广总督和赴粤钦差任上积极推广用药物戒烟，取得巨大成果，被民间称道的“林十八方”，其实就是何书田所献“戒烟方”。何书田献方救民，使无数民众摆脱烟瘾，重获新生，在帮助林则徐禁烟中立下了不朽的功绩，理应在历史的记录和弘扬国药瑞宝的记载中添上这浓重的一笔。

四是林则徐送何书田寿联。在何书田60岁生日时，林则徐亲书“读史有怀经世略，捡方常著活人书”一联相赠，贺其寿辰。

五是林则徐亲题“七榆草堂”。七榆草堂落成后，林则徐亲自题写门额“七榆草堂”和两侧楹联“橘井活人真寿客，簳山编集老诗豪”，遣专人送到何家，为新宅落成增辉添彩。

六是林则徐书七言诗，对何书田仙逝寄托哀思。林则徐在闻知何书田病逝后异常悲痛，亲书七言诗一首，寄托对老友的无限追思。诗曰：“先生精医不言医，酒酣耳热好论诗；小沧浪馆昔联吃，题笺斗韵相娱嬉。韵华弹指逾五载，我历荆襄青鬓改；别来未寄尺素书，只道灵光岿然在。今逢姚令共泛舟，始知君作蓉城游；欲摇黄鹤一凭吊，楚天木落空悲秋。惟君推解遍乡里，鸿雁哀鸣少流徙；清门累世泽孔长，何况克家多令子。云旗摇飏泖水东，竿山之色长葱茏；岂徒方技足千古，盛世应归文苑中。”字里行间情真意切，充满了对往昔的追忆和失去挚友的哀伤。

何书田宅建于清道光十二年（1832），时名“七榆草堂”，有三厅四厢和轿厅，颇具气派。由于年久失修，又经火灾，现仅存一座三合院，当地居民和外来务工务农人员杂居。仪门尚存，门额“后先辉映”四字及署款“光绪壬辰仲冬”“瞟城廖谷似”清晰可见。虽已十分破旧，但岁月的沉淀又使古宅变得更加珍贵、故韵悠长，她像一颗镶嵌在福泉山古文化遗址上的明珠，传承着历史的记忆，闪闪发光，熠熠生辉。

二、何书田宅的保护

何书田宅是2005年上海市规划局公示的上海市郊区历史文化风貌区中青浦区重固历史文化风貌区内尚存不多的历史古建筑。其老宅本身，就很有保护、修缮的价值和必要。

何氏中医世家誉满杏林，自始祖从医至今，其间代代有传人，从未中断过。保护何书田宅既是对何氏中医世家的肯定和尊重，更是对中医中药悠久历史、璀璨文化的宣传和展示。在大力提倡中西医结合的今天，何书田宅的存在，对中医中药的传承，确立中医中药的国药地位，让中医中药在新的历史条件下继续发扬光大，创新发展，具有很好的示范和促进作用。

何氏中医世家世代悬壶，名医辈出，著有各种医书130余种，治病救人的民间传说颇多，为丰富祖国的医学宝库做出了积极贡献。让这些医书和传说活起来，古为今用，不但对促进非遗传统医药项目的推广，扩大非遗传统医药项目的知名度有重大意义，而且对丰富福泉山古文化遗址的内涵亦能增色不少。何氏老宅的保护，是福泉山古文化遗址的延伸和扩展，对改善遗址的生存环境，提升和促进以福泉山为中心古文化遗址深层次的保护、开发和利用有直接的影响和关联，更应加以保护和重视。

在日寇侵华期间，古宅一度被日本兵所强占。侵略者烧光抢光了古宅内的所有财物，在门口设立了岗哨，任意扣押过往行人，古宅沦为了日军驻地。后来，日本兵即将逃离时，又准备烧掉这栋百年古宅，在这千钧一发的紧急关头，何书田的后辈何承江（何余庆）和妻子濮品华挺身而出，跟日本人巧妙周旋，凭着自己的勇气、胆识和智慧，从日本鬼子的魔爪下夺回了古宅。“文化大革命”初期，一帮不明真相的人闯进何宅，要敲掉墙门头雕刻，拆掉墙门头，又是房屋的主人极力阻止，与其据理力争，才使老宅再次幸免于难，比较完整地保留至今。何书田宅历经沧桑，是日寇侵华战争的历史见证，同时也承载着中国人民同日本帝国主义的英勇斗争中许许多多感人肺腑的故事，它是一部爱国主义教育的好教材。保护老宅，对没有经历过这段苦难史的后辈，有很好的教育和警示意义。

何书田和林则徐的故事不仅仅是珍贵的历史资料，更是一曲气壮山河、与外国列强抗争的民族正气歌。何书田和林则徐虽不同朝为官，但志同道合，十分投缘。何书田救死扶伤、禁烟建功的事迹，理应得到世人的追忆和赞颂。而林则徐是民族英雄，历来为世人所崇敬，更应流芳百世，永垂史册。恢复“七榆草堂”原貌，展示林则徐诗、联墨宝，重演戒烟治病场景，不失为追忆历史，缅怀先辈，颂扬中医伟业，别具一格的跨世穿越。把两个历史名人的事迹汇集到一起，相映争辉，不但能丰富展示的内容，而且必将起到宣传教育上的叠加效应。只要布局得当，何书田老宅将再次焕发青春，后先辉映，成为弘扬中华民族正气、传承中医瑰宝、展示中华璀璨文化的点睛之作，成为万人瞩目、向往的旅游热点。

何氏世医源远流长，何氏家谱亦多亮色。现在上海图书馆、青浦档案馆等处藏有多个版本的何氏家谱，它们是青浦深厚历史文化底蕴不可缺失的一个组成部分。保护何书田宅对提升青浦的历史地位和历史知名度有积极意义。2016年，何氏家谱被定为青浦区十大乡土文化符号。何氏中医世家和何氏家谱，无疑已成为青浦区对外宣传的一张名片，它将对提升青浦的区域地位，促进青浦旅游业的发展，起到添砖加瓦、推波助澜的作用。

习近平总书记强调，要进一步加强文化和自然遗产的整体性、系统性保护，切实提高遗产保护能力和水平，守护好中华民族的文化瑰宝和自然珍宝。要持续加强文化和自然遗产传承、利用工作，使其在新时代焕发新活力、绽放新光彩，更好满足人民群众的美好生活需求。作为何氏后人，我们希望尽快启动对何书田宅的修缮，恢复其本来面貌，将其打造成中医文化传承、爱国主义教育、乡土历史传播、古建筑遗存研究的文物保护基地。2023年5月，上海市青浦区文化和旅游局复函批准抢修何书田宅。[5]我们相信，有青浦区各级政府的重视，有各界人士的关心，何书田老宅必定能重放奇光异彩，在家乡和上海肩负起其文化和历史的重任。

此文撰写得到陆其鸥先生的帮助，在此表示感谢。

参考文献

［1］［3］秦伯未 . 清代名医医宗精华［M］. 北京：人民卫生出版社，2006.

［2］上海市青浦县志编纂办公室 . 青浦县志［R］. 上海：上海人民出版社，1990.

［4］何承志 . 何氏世医 1000 年［M］. 上海：上海人民出版社，2018.

［5］关于何书田宅抢修的复函（青文旅［2023］35 号）［Z］. 上海市青浦区文化和旅游局，2023-05-23.

图书在版编目(CIP)数据

非遗传承研究. 2024. 4 / 陆建非主编. — 上海 ：中西书局，2024. — ISBN 978-7-5475-2350-6

Ⅰ. G122

中国国家版本馆 CIP 数据核字第 2024NF9305 号

非遗传承研究 2024（4）

陆建非　主编

责任编辑　刘　博
装帧设计　杨钟玮
责任印制　朱人杰

出版发行　上海世纪出版集团
　　　　　中西書局（www. zxpress. com. cn）
地　　址　上海市闵行区号景路 159 弄 B 座（邮编：201101）
印　　刷　上海商务联西印刷有限公司
开　　本　889 毫米×1194 毫米　1/16
印　　张　5
字　　数　155 000
版　　次　2024 年 12 月第 1 版　2024 年 12 月第 1 次印刷
书　　号　ISBN 978-7-5475-2350-6/G・818
定　　价　35. 00 元